オールド・ラング・サイン

コロナ後の日本

渡部寿春
WATANABE Toshiharu

Auld Lang Syne

文芸社

はじめに

断捨離で古い写真が見つかった。昔が懐かしくなり、「思い出を残そう」と思い、撮影した当時の出来事を書き付けてフェイスブックに投稿した。一日一つ投稿していたら28日かかった。投稿する度に、違う反応があった。

以前、仕事に関する本を出版する際にお世話になった方から「大変興味深く読んでいます。自分の人生に関する小説かエッセイが書けると思います。面白い」とコメントを頂いた。それが、本書のきっかけだ。

書名の『オールド・ラング・サイン』は、有名なスコットランド民謡だ。日本では『蛍の光』に変わり、卒業式などで歌われている。ロバート・バーンズという国民的詩人が詞を作った。久しき昔を懐かしみ、旧友と杯を手にして友情を交わす歌だ。作曲者は不明だが、古くからバグパイプで演奏されていたらしい。

私は、東北で生まれ育ち、東京でシステムエンジニアとして働いてから、スコットランドに留学した。帰国してインド系企業に就職したが、「リーマン・ショック」を機に退社し、ITコンサルとして起業し働いてきた。それが、「コロナ・ショック」に見舞われて危うくなり、身辺整理を始めたら、昔のプリント写真が見つかった。デジカメを使い始めてからフィルムで写真を撮ることがなくなり、まとめて片づけた筈の写真を紛失していた。その写真が、溜まった本の間から出てきた。写真を眺めていると、久しき昔の懐かしい思い出が蘇り、過ぎた日々の移り変わりに思いを馳せた。

思えば奇遇の連続だった。理想を求めて生きてきたわけではないが、期待を超える人生を過ごせた。ありがちな将来予測は常に外れた。期待したものは得られず、時に期待以上のものが得られた。プリント写真は、奇遇な人生の足跡だ。そこから、コロナ後の姿が見えてきた。この古い写真を巡る旅を、先々の不安にかられる方に味わって欲しい。そう思い、本書を書き始めたのです。

UNIVERSITY of ABERTAY DUNDEE
Academic Transcript
Name: Toshiharu Watanabe
Award: Master of Business Administration
Title
Grade Result Cred
Accounting and Finance D P 15
International Finance D P 15
Business Economics C P 10
Mr. TOSHIHAR
Victoria chan
Victoria Road, D
DD1 1 JN
Gorebridge 29
Princes Street Newington
37
Penicuik
Lothian
Buses

◆目次　「オールド・ラング・サイン　コロナ後の日本」

第１章　古い写真

コロナ・ショックの影響

２０２０年は、「東京オリ・パラ大会」で大いに賑わう筈だった。前年10月に消費増税が行われて冷えた景気も、挽回すると思われた。航空会社の多くが路線を増やし、宣伝広告のために大枚をはたいた。投資は、2〜3年の回収見込みで事業を拡大していた。激しい国際競争に晒された航空業界で競争力を維持するには、規模の拡大が必要だ。航空会社の売り上げに占める利益率は低い。機材の調達や整備、燃料代、空港税、人件費などの固定費が高いためだ。

これまで多くの航空会社が破綻し、公的支援で事業再生を図った。破綻の多くは、90年代に国際化が進み利用者が増える一方、民営化が進んで競争が促されたのに起因している。米国では、イースタン航空、コンチネンタル航空、パンアメリカン航空、アメリカウエスト航空、トランスワールド航空、ＵＳエアウェイズ、ユナイテッド航空、デルタ航空、ノースウェスト航空、アメリカン航空が破綻した。スイスではスイス航空、ベルギーではサベナ・ベルギー航空が破綻。そして、日本では日本航空が破綻した。これらの内、再生を果たしたのは6割弱だ。

格安航空会社（ＬＣＣ）の参入で、航空業界は更なる変革が迫られている。大型機によるスケール拡大、格安航空を増やしコスト削減、ホテルビジネスで観光需要を獲得、アライアンス（業務提携）によるポイント戦略などだ。マーケティングを含む、複合的な施策を同時に行わなければならない。

私は２０２０年の初頭に、航空チケットのシステム改革プロジェクトに参画した。それまでは、金融ビジネスのＩＴコンサルとして働いていた。プロジェクトの計画やシステム企画、チーム作り、ベンダー（販売会社）の調達と契約交渉、英語のコミュニケーション支援、膨大なテスト作業の推進役も務めた。しかし、業種を変えたいと思った。理由は、年齢への不安だ。これまで体力にまかせて熟した仕事も、50才を超えると周りが気を使い無理を言い難くなる。特に金融のシステムは大きく、複雑で厳格な管理基準が求められるため、根気の続く若手が好まれる。仕事を続けるには、業種を広げるのが得策と思えた。

航空会社でシステムが果たす役割は、金融ほど大きくない。金融はシステムと一体のビジネスだが、航空の主役は機材と安全航行だ。そのため予算に占める割合は少ないが、航空券販売で負ければ収益は得られない。今、航空券の多くがスマホで購入される。世界の予約システムは、セーバーとアマデウスと言う2大ベンダーが寡占《かせん》している。日本の航空会社も世界の予約システムを使わざるを得ない。それぞれ、米国とスペインに本社を持ち、インド系企業が導入サービスを行う。予約システムの改革は、グローバルな大プロジェクトだ。

今年（２０２０年）、3年越しの長期プロジェクトが始まった。開始早々、新型ウイルスの感染が中国で広がっているとのニュースが報じられた。多くの人が直ぐに収まると思った。2月になり、国際線ターミナルで感染防止の厳戒態勢が布《し》かれた。3月に入り、東京オリ・パラ大会の予定変更がささやかれ始め、3月30日に正式に延期が決まった。航空会社は、予定したプロジェクトの見直しを始めた。プロジェクトの殆どは増収増益を前提に計画されていた。作業はリモートワークに変わり、継続、変更、延期、中止の見極めにより、5つの内3つが中止となった。それでも、航空チケットのシステム改革プロジェクトは残った。4月に入り、政府は緊急事態宣言を発令し、乗客が消えた。航空需要は、直ぐには回復しないことが明らかとなり、5月にはタイ国際航空が破綻し、ウォーレン・バフェット氏が率いる米バークシャー・ハサウェイが、「世界は変わった」と判断して航空株を売却した。

冷戦以降30年続いたＩＴとグローバル化による経済拡大の流れが変わった。２００３年にＩＴバブルの崩壊と湾岸危機で景気が後退し、２００８年に「リーマン・ショック」が起きたが、経済は回復し拡大を続けた。だが、「コロナ・ショック」は今までの危機とは違う。人を運びグローバル化を進めた航空産業が直接打撃を受けた。

私は、プロジェクトの凍結が決まると、計画工程の完了基準を満たしてプロジェクトを去ることになった。国内外の多くのベンダーが影響を受けた。途方に暮れた。15年間暮らした江東区のマンションを売却することも考えた。ここに入居して3ヶ月経つ頃にペットショップでスコティッシュフォールドの子猫と出会い縁と思い買った。メス猫なのでキャティと名付けた。スコットランドに留学していた時の英語の女教師がキャサリンと言う名前で、ニックネームがキャティだから合わせた。子猫の頃は布団に粗相《そそう》をされ、5回買い換えた。怒ると逆切れの唸り鳴きをしたが、ちゃんと躾《しつ》けた。それでも愛らしい仕草で長年癒してくれた。

猫のことも考えながら身辺整理を始め、断捨離した。その時、溜まった本の間から昔撮ったプリント写真の束が見つかった。

ここの前は立川に住んでいた。英国（スコットランド）留学から戻り、日本で設立されたインド系企業に就職してから銀行の合併プロジェクトが始まり引越した。

プリント写真の殆どは、インスタントカメラの撮影だ。フェイスブックを始めてからミラーレス一眼を買い、猫で練習してデジタル写真の作品を撮るようになった。古い写真を眺めていると懐かしい思い出が蘇った。この思い出を残そうと思い、プリント写真をスマホで撮り、当時の出来事を書き付けて投稿した。

日本のインド系企業

2005年に英国のスコットランドでMBAコースを終え、英国で働くか日本に戻るか迷った。2003年に後退した日本の景気は2年で回復した。大学で英国内の仕事探しを相談した。IT関連のマネジャー職で日本人が働ける仕事はあった。だが、景気の回復した東京で働く方が条件が良いことが分かった。東京に戻りネットで人材紹介のサイトに登録すると、反応が良かった。2年前とは全く違った。4社の面接を受けて2社合格となり、インディアアクションプラン株式会社（IAP）と言う会社でマネジャーとして採用された。

IAPは、代表者が国費留学で来日し、東京大学の修士課程で学び、当時、国交の希薄だった日印関係を開拓するために設立した会社だ。

設立当初、日本で皆無に等しいインド映画の配給を始め、5年後にＩＴの事業をスタートさせて5年が経っていた。兄弟と従弟4人の同族経営だった。インドと日本で１００名ほどのスタッフが働き、携帯電話やカメラ、その他小型装置を制御する組込技術を看板に、金融のシステム開発もやっていた。

インド政界の家系の縁で「インドセンター」というNPOを設立し、経済サミットなどのイベントを行い、日印の政財界に人脈を築いていた。日印の架け橋は好機と思えた。ブラジル、ロシア、インド、中国、南アフリカを頭文字で示した「ＢＲＩＣＳ」によるグローバルな経済成長への貢献が期待された時代だった。ニューヨークのウォール街に本拠を構える投資銀行が、巨額の資金を操り新興国の経済発展を促した。

入社して直ぐに東京国際フォーラムで組込技術のイベントがあり、ＩＡＰのブースを担当した。ブースには当時の担当大臣を含む数名の国会議員が訪れ、その度に若きインド人経営者は先生と呼び、かけより深々とお辞儀した。

組込技術のイベントが終わると、ＩＡＰが日本市場で事業を定着するための戦略を考え、英語で文書化し、経営陣に発表することが求められた。英国へのMBA留学が本物か確かめるためのテストだった。事業環境を分析し、課題を表し、その課題を克服するためのプロセスを示した。経営陣は喜んだ。戦略を進めることになり、週次の定例会議を設けてアクションプラン（行動計画）の状況を報告し、意見を聴いて次の活動に反映した。

日本企業がインドに関心を寄せることは、英国留学中にも話題になった。90年代に日本の製造業者の多くが中国に拠点を移し苦汁をなめた。今度はインドに動くと世界は見ていた。

IAPは、トップ営業に依存していた。政治家の口利きで事業を立ち上げることができた。しかし、現場で仕事が評価されなければ継続できない。日本の技術者は、勝手の違う外国人と働くことを煩わしく感じ、新参の競争相手が増えることを嫌う。当時、政財界のリーダーが期待したにも関わらず、世界で活躍するインドのIT企業は日本では上手くいかず評判を落としていた。IAPの技術者はインド人だったが、敢えてインド系企業とは言わず、東京都文京区で設立した日本企業と言い、外資と思われることを嫌った。

インド系企業の難点は、技術者が日本語を覚えないことと、働き方がルーズで日本人の几帳面な習慣に合わないことだ。膨大な数の電車が3分刻みで正確に動き続ける国は特別だ。米国や欧州でインド人技術者が活躍できるのは、英語で働くことができ、インド人の特性を知る人が多いからだ。優秀な人材が多いのは嘘ではない。インドのＩＴ技術者は、グローバルな仕事で日本人よりもはるかに活躍している。

当時、日本企業の多くが、インドや中国よりはるかに日本の技術力は優れていると思っていた。実際、そうだった。問題は、直ぐに追い越されることが分からず、変わろうとしなかったことだ。インドで働く習慣は、日本とは違う。インド人に限らず、能力の高さと、働き方は、別の問題だ。日本ではしばらく、ＩＴ技術者の不足やデジタル化の遅れが問題となっていた。それでも、多くの金融機関は、インド系企業と直接取引するのを避けた。万を超える技術者を雇い、なお足りないという銀行でさえ、国内での直接取引はせず大手国内ベンダーを介することでリスクを分けた。その理由は、技術力やコストだけの問題ではなく、国内ベンダーの利権と役職へのロイヤリティを守るためだ。言うなれば、自分たちの居心地を守るためには、デジタル化が遅れ、会社が損をしても、派遣で埋め合わせてきた。

日本のＩＴ業界は、政財界の癒着により中抜き構造が固定し、多くの不労所得者を肥やしてきた。政府がデジタル化を進めるということは、税金がお仲間の会社に流れることだ。これで、益々、不労所得が増え、還元され、中抜き構造が固まる。

ＩＡＰの戦略は、英語と日本語でプロジェクトを回す人材を増やし、口利きに依らない営業を確立することだった。そのために、メールや手紙、知人に電話してアポを取り訪問する活動を地道に続け、アジア市場を開拓するために有力企業との業務提携を進めた。ライブドアとの交流もあったが、「ライブドア・ショック」に見舞われ、投資していた経営者は損失を被った。それでも計画は愚直に進め、開発の契約交渉と人材採用を並行で行い、半年経つ頃には銀行の合併プロジェクトへの参画につながった。

6千人の技術者を集めて合併プロジェクトを進めるために、東陽町の高層ビル、丸ごと一棟が整備された。この仕事に集中するために私は立川から引越し、忙しい日々が2年半続いた。そして、「リーマン・ショック」が起きた。ＩＡＰは、証券会社のシステム開発で半分以上の売り上げを得ていた。それが災いし、直接打撃を受けた。本郷三丁目にあった事務所を維持することができなくなり、実質的な閉業に追い込まれた。これにより、銀行の合併プロジェクト終了と同時にＩＡＰを退職した。

ＩＴコンサルと言う仕事

ＩＡＰを退社し、直ぐに失業手当給付を申請し受給した。「リーマン・ショック」の影響で、日立を始め多くの大企業が損失を被り、リストラを始めた。職を失った多くの非正規労働者が日比谷公園の「派遣村」に集まった。求人は減った。失業手当を受給するために求人票を出している会社に応募し、４社の面接を受けた。前職で受けていた高額な報酬を正直に言うと、愚痴を吐かれて断られた。途方に暮れて介護職を考え始めた。介護資格の研修を受け、教育訓練給付金をもらった。研修が終わる頃、東陽町の駅構内にシステムエンジニアの募集ポスターが貼られているのを見た。最後の試みと思い応募した。

１週間経ち、会社から「直ぐに来て欲しい」と電話があった。出社すると銀行のシステム基盤を変えるプロジェクトのリーダーと面談することになり、前職の仕事を話すと直ぐに『推進』と言う役割で参画が決まった。

金融機関などの大きなシステム開発は、資料作成、スケジュール作り、調査、チーム作り、進捗管理と報告、関係者間の調整などで多くの手間がかかる。その『推進』と呼ばれる作業は、システムを作る技術者の仕事とは質が違う。ＩＡＰで専門的にやっていた仕事だ。それが再び求められた。

仕事場はお台場で、フジテレビのそばにあるビルだった。仕事は、10年後の姿を文書化し、段階的に実現する計画を作ったところで終わった。それから、この仕事専門の会社を作ろうと思った。会社があれば人と会い易い。設立を理由に知人に仕事内容を話せる。ただ、「この仕事を何と言えば良いか？」迷った。システムエンジニアの仕事は、設計し、プログラムを作り、テストして納めることだ。明らかに違う。ソフト開発とは言えない。

コンサルティングと言う職種がある。経営戦略を考える戦略系と言われるサービスもあれば、資格を持つ士業の方が法務、会計、労務などの相談に応じる仕事もある。ＩＴとビジネスをつなぎ変革を促す仕事なので『ＩＴコンサルティング』と言うことにした。これが、『ＩＴコンサル』と言う仕事の始まりだ。社名は、『イーストタスク』にした。極東のイーストであり、東京と東陽町のイーストでもある。合併プロジェクトの時に「タスク・リーダー」や「案件リーダー」と言う呼び名の役割で働いたのでタスクを付けた。「グローバルに情報化する社会で信頼されるパートナー」となることをビジョンに掲げた。

会社を登記した日、再び、前の会社から仕事の電話があった。次は、幕張で地方銀行向けの仕事だった。

殆どの地方銀行は、独自システムを持たず、共同化サービスを利用して営業している。東陽町の合併プロジェクトで働いた時の銀行のシステムが、改変されて複数の地方銀行で利用されていた。大きな変更を反映するため、こちらでも大プロジェクトが動いていた。

４つの銀行向けに個別の変更を加え、膨大な数のテストで品質を保証しなければならない。問題は、引渡しの時に「如何に品質を説明するか」だ。「何故、稼働可能な品質なのか」を説明できなければ銀行の担当者は受理できない。この時は、説明する方法を決めてから逆算して計画を作りテストを始めた。このプロジェクトは８ヶ月で終わり、再び、東陽町で次の大プロジェクトに参画することになった。

銀行は、旧来型の大量のデータを集めて一括処理する大型コンピュータでシステムを運営していたが、インターネットの時代に合わなくなった。ウェブのシステムに移るには基盤を変えなければならず、これが、更なる大プロジェクトだった。

この頃に資格が必要と思い、『P2M（ピー・ツー・エム）』と言う制度の『PMC』と言う資格を取った。「プログラム&プロジェクトマネジメント」の略がP2Mで、「プロジェクト・マネジメント・コーディネータ」の略がPMCだ。

会社を作り名刺を交わす機会が増えたが、資格がないと決まりが悪い。何せ、一人で営む聞き覚えのない仕事だ。怪しまれても致し方ない。それ故、資格制度を運営するNPO団体、日本プロジェクトマネジメント協会（PMAJ）に通うようになった。資格以外にも講演や研究などの活動がある。

IAP時代にインド人技術者から『PMBOK（ピンボック）』を知っているか聞かれ、知らなかったため本屋に出向いて探し、隣にある『P2M』の本も一緒に買った。読み比べたら『P2M』の方が面白かった。資格は、『PMC』の上に『PMS』、その上に『PMR』と3段階になっている。

『PMR』は、「プログラムマネジャー登録者」の意味だ。実務実績で能力を認定する資格だ。これがあれば、「デキル人」ではなく、「デキタ人」の証になる。信用が上がると思い、受験し合格した。

東陽町でのプロジェクトが終わると、コンサルティング会社を営む知人が丸の内にある銀行の案件を紹介してくれた。「リーマン・ショック」後に米国で発行されたデリバティブ取引規制に対応するため、英語でプロジェクトをコーディネートできる人を求めていた。商談がまとまり、グローバル・マーケット部門で海外のオフィスをつなぐ仕事が3年間続いた。その後、外資系保険会社の合併案件を請け、合併後に新しくなるビジネスモデルの業務プロセスを検証した。

更に、ベンチャー企業で「フィンテック（ファイナンス・テクノロジー）事業」が始まり、「インターネット・バンキング」を新規開発することになって、インドのＩＴ企業とクライアントをつなぐ仕事が続いた。グローバルな仕事が続く中、コミュニケーション先である国と都市に興味が湧き、海外旅行が増えた。グローバル経済は急速に拡大していた。皆が拡大はしばらく続くと思い、恩恵にあずかるために競った。人、金、物のグローバルな移動がネットを介して急速に増え、政府は経済成長のために更に増やす政策を掲げた。

ニューヨーク、上海、香港、シンガポール、台北、ソウル、スイスに飛び、輝く都市を観た。オーストラリアのケアンズに大勢の観光客が押し寄せグレート・バリア・リーフの海を楽しんだ。

膨大な資源を使い、人々は欲望を満たした。

２０１４年に『李登輝より日本へ贈る言葉』（ウェッジ）と言う本が発売されたので読んだ。李登輝氏は、２００７年に私のマンションの近所にある「江東区芭蕉記念館」を訪れ、俳句を詠まれたので話題になった。グローバル化が進む中で、日本を考える良書と思えた。

プロジェクトマネジメント団体

プロジェクトマネジメントの資格制度が始まったのは、90年代の終わりだ。世界各国のＮＰＯ団体で資格制度を運営している。

世界で最も普及している資格制度は、米国プロジェクトマネジメント協会の『ＰＭＰ』で、その教科書が『ＰＭＢＯＫ』だ。『Ｐ２Ｍ』は、２００１年に経済産業省が主導して有識者が集まり作られた日本生まれの教科書で、資格制度も同時に始まった。資格は5年の更新制で、更新時に継続学習ポイントが要る。実務実績、講演や研修への参加、研究活動、講演や講師の実績、論文の執筆や書籍の出版がポイントになる。

継続学習ポイントを得るために「東京Ｐ２Ｍ研究会」に参加した。初めて参加した時、丁度、東日本大震災の直後で「震災復興のプロジェクト」がテーマになっていた。日揮で長年プロジェクトマネジャーとして活躍し、退職後にＰＭＡＪの事務局長として『Ｐ２Ｍ』を興した人が熱心に研究活動をリードしていた。東京大学の防災研究者や大手企業で課長以上の役職にある数名のメンバーと共に、震災復興のテーマに取組み論文を書いた。論文は、『ＰＭＡＪジャーナル』という機関誌に載った。これが初めて世間に公開された自筆の書物となった。

それから、ネットで公開される『オンラインジャーナル』の執筆を頼まれるようになった。書物が影響してか、『ＰＭシンポジウム』と言う年次イベントの企画役も頼まれた。２千人以上の有料参加者が集まる日本最大のＰＭイベントを企画する会議の進行役だ。月２回の会議で大会テーマや講演者を決める。参加者は、継続学習ポイントを得る。

翌年には、「東京Ｐ２Ｍ研究会」の代表としてワークショップを考え、『ＰＭシンポジウム』で講演者として発表することになった。研究会の活動を、年次報告書にまとめる作業も増えた。これが４年続き、ＰＭＡＪの理事になった。

『ＰＭシンポジウム』講演後の質問で、「東京オリ・パラ大会」のロゴ変更や競技場の設計変更があったことの感想を尋ねられた。これを機に「イベントマネジメント」をテーマに研究し、「東京オリ・パラ大会」と「ラグビー・ワールドカップ日本大会」を事例に発表した。

２０１６年４月には、経済産業省からフェイスブックに投稿する英文エッセイ執筆の誘いを受け、週次でＰＭに関するエッセイを書くようになり、今も続いている。２０１９年に１００篇のエッセイをまとめて和訳を付けて本にし、オーム社から『ＩＴプロジェクト日記　英文絵日記の力』という書名で出版した。

出版を勧めてくれたのは、当時の理事長だ。本書も、彼がフェイスブックの投稿にコメントを入れてくれたので、書く気になった。ＰＭＡＪの活動で知人が増え、知識が増え、「ゆるいきずな」ができた。これが、コミュニティの価値だと思う。

第２章　東北育ち

山形県最上郡鮭川村生まれ

成田空港のゲート近くで、父と並んで撮影された写真がある。英国留学に旅立つ時の写真だ。森林ボランティアの仲間が見送りに来て撮ってくれた。フライト時間が朝早いこともあり、前日父と空港近くのホテルに泊まった。父は、山形県の天童市に住んでいるが、以前は最上郡鮭川村《さけがわむら》にいた。私は、ここで鉄工所の次男として生まれた。父は、農村で鍛冶屋を営む祖父の家業から鉄工所を起こし、経済成長の波に乗った。

生れた当時の家は、山の麓に開けた集落の中の小さな二階建ての小屋に鍛冶場の付いた建物だった。隣に祖父が生まれた本家があり、道の向かいには祖母の生まれた農家の家がある。集落は山沿いの道に沿って続き、途中に奥羽本線の羽前豊里《うぜんとよさと》と言う駅がある。今は無人駅となっているが、幼少の頃は駅員が新庄と横手を往来する客の切符を切っていた。直ぐ近くの山の上に神社があり鳥居の先に勾配のきつい石段がある。

神社から集落の見晴らしは良く、隣の小高い山を「力の神様」として拝む習わしがあった。祭りの時は、祖父に連れられて小高い山に登り供物を備えて参拝した。
集落には大小の農家が暮らしていて駄菓子屋や理髪店、肉屋やお菓子屋など、様々な店があり子供も多く賑やかだった。幼馴染みの家には入りびたり、誰の家でも気にせずに遊べた。

2歳の時、近くに通った新しいバイパス沿いに建てた家に引越し、父が工場を建て、働く人が増えた。仏壇付きの八畳の茶の間にはテレビが置かれ、八畳の床の間と一緒に家族の団欒の場となり、時に地域の集会場となり、時に鉄工所の応接間となった。

新しい家は鉄筋3階建てで、屋上にはベランダがあり、錦鯉が泳ぐ三つの池で囲まれていた。田中角栄元首相が人気を博した時代だった。祖母が5才の時に病で寝たきりとなり、家政婦の人が同居するようになった。

両親は事業のために懸命に働いた。祖父は鍛冶屋をやめ、山に栗の木を植え、収穫した栗を市場に卸していた。収穫の時は、栗拾いを手伝った。

好奇心が強く人になつくタイプの自分と違い、兄は他人に遠慮して気を使うタイプの子供だった。

父は5人兄弟の長男で、農家に嫁いだ姉、新庄で呉服屋を営む弟、日産に就職して相模原に家を構えた弟、新庄市役所の職員に嫁いだ妹の家族が盆や正月に帰省して一緒に過ごした。

父は、幼少の頃から家族を養うために祖父の家業を手伝い、真室川《まむろがわ》高校に入学したが働かねばならず、家族を養うために中退した。当時、多くの農村にいた青年実業家の一人だ。真室川でライオンズクラブが始まると会員になり、クリスマスパーティに付いて行くようになった。

家の周りには田んぼが広がり、川の土手で囲まれていた。鮭川は、真室川を受けて最上川に流れる。小学5年の時にプールができたが、それまでは川で泳いでいた。夏には、水中眼鏡と工場で作ったヤスを持って川に行き、鰍《かじか》を突いた。近所の子供が集まり、突いた魚を焼いて食べた。透明な石を川原で集めて金魚鉢に入れた。駅前では桜祭り、神社では夏祭りが行われ伝統舞踊が披露された。

12才の時に「山の神様」と言う集落の習わしがあり、顔の書かれた丸太を背負い、家々を回りお神酒を受け、初めて嘔吐した。集落の習わしも、川で突いた魚を焼く遊びも、この頃を最後に途絶えた。

小学生の頃、夏休みに真室川にある正源寺で座禅合宿があった。「般若心経」を覚えて唱えた。この寺の檀家であるため、盆には先祖供養で参ることになっていた。

冬には祖父が肘折《ひじおり》温泉に湯治に行くので、遊びに行くのが楽しみだった。新庄から乗ったバスが、4メートルも積もる雪の壁の谷間を過ぎて温泉街に至る。当時、冬の肘折は賑やかだった。お土産屋で祖父に玩具をねだった。

新築4階建ての村立小学校で6年間過ごした。3年生の時に放送係になり、チャイムの鳴らし方や話し方をよく間違えて、上級生の女子にからかわれた。ピンクレディーが流行り真似た。毎日、移動販売車で魚を売りにくるお兄さんが、村で有名なサッカー選手だったこともあり、サッカーに夢中になった。村に野球のスポーツ少年団ができて、初めてユニフォームを着た。勉強や運動会は呑気でも、サッカーで負けると悔しかった。星座占いや世界七不思議の本が好きだった。6年生の時には、児童会長になった。商店組合の景品抽選会の時、十字を切ってガラガラを回したら大当たりした。これで、キリスト教の印象が残った。

村立中学校の校舎は古い木造で、小高い森の中にあった。冬になると校庭に雪が積もる。山も近いのでスキーが始まる。スキーは幼い時から始め、3年生の時には校内の大会で優勝した。

部活は、サッカー部に入った。小学校の時に練習していたが、体格、脚力、持久力、キック力で上級生はもとより同級生にも劣っていた。技術力で凌がねばならなかった。この頃、将棋やタングラム、テレビゲームに夢中になった。

1年生の時、3年生の選手が優秀で、県大会の上位まで勝ち進んだ。2年生が3年生になると、基礎体力のある選手が多かったが、チームワークの悪さで勝てなくなった。

3年生の時に部長になった。基礎体力の不足を補い、県大会に勝ち進むための戦略を練った。守りを固めてカウンターを狙うフォーメーションを考え、計画的に練習した。これが功を奏し、目標は達した。だが、県大会の初戦で大敗し、自分にはサッカー選手として大成する資質がないと悟った。

この村でも受験に向けた多少の競争はあった。だが、呑気さは変わらず、勉強はしなかった。『ソニー・ウォークマン』の影響で、小型のラジカセが流行った。漫才ブームが起き、「テクノ・ミュージック」が流行り、ビートルズを聴いた。高校生になった兄の影響で、矢沢永吉も聴くようになった。

3年生になり、進路の決断が求められた。だが、何の取柄もなく、将来の姿は思い浮かばなかった。「路で轢かれた猫の哀れさを書いた詩」やヘルマン・ヘッセの『車輪の下』をテーマに書いた読書感想文、文化祭で「かぐや姫」をアレンジした演劇の脚本と演出、それらを見た国語の先生が気になる助言をしてくれた。「何かある人」だと言う。何があるのか分からないが、他の人にはない何かがあると言ってくれた。

兄は家業を継ぐつもりで、山形工業高校の建築科に進んだ。山形に下宿し、休日に帰ってきた。これを見て下宿生活に憧れた。しかし、工業高校で将来の選択肢を狭めたくなかった。進学校に行きたいとも思わなかった。結局、日大山形高校に入り、将来の進路を考えようと思った。

日大山形高校で3度の停学

日大山形高校は、教育ビジネスで成功していた。スポーツでブランド力を高め、地方の子供を集めた。私立大学の付属学校の多くが、似た方針で地方に事業を広げた。当時、「紳助竜介」の漫才コンビが工業高校と私立高校を比べるネタでウケていた。入試が難しい学校と、学費が高い学校の掛け合いで、紳助が学費の高い方が上だと突っ込み笑いを取る。皆が、入試が難しい方が上だと思うからギャグネタになる。一方、高い学費を払う価値ある学校という見方もある。実際、資金力があれば環境を整備し、特待生を得て目立つ成果を出すことができる。成果はブランド力を高め、更に生徒が増えて資金が集まる。

公立の進学校は、入試で学力のある生徒を絞り、難関大学の入試に集中する。私立の進学校は、公立の進学校以上に進学指導が良いと思われている。

大学入試は、確かに人の能力を評価する基準になる。それ故、予備校や進学塾という受験産業が成り立ち、大金が動く。多くの親が子供を医者にしたいと思い、駄目なら公務員にしようと思う。かつては、大企業に入った子供を嬉しそうに話す親もいたが、最近は減った。家業の見込みがあれば子供に継がせることも考えるだろうが、特別な才能がなければ学力で並ぶ。それとて、恩恵を受けるのは、僅かな上位者だけだ。殆どの人が、労働を対価に浮世を過ごす。

進みたい大学やなりたい職業があれば、目標が定まり前向きに動ける、将来の姿が見えないと、軸なく、ただ周囲に馴染んで過ごすことになる。多くの高校生が進路に悩むが、学力テストとスポーツの成績で生徒の評価は大方決まる。高校教育は、競争で序列を決めるシステムだ。そして、人生を左右する。故に、生徒も頑張る。競争がないと張り合いがない。努力する意欲も勝利の喜びもなくなる。だが、多くの高校で非行が問題になった。せっかく授業料を払い、3年間を過ごす恵まれた時であるはずの高校生活が何故、人生の汚点になり、躓《つまず》きになるのか。

入居した下宿は、四畳半一間の個室が6室あり、3年生の先輩3人と同期が1人いた。廊下には、横浜銀蝿のポスターが幾つも貼られていた。皆が、喫煙者だった。彼女と同棲する人、麻雀に明け暮れる人、野球部で練習の帰りに溜まり場に使い、喫煙で過ごす人がいた。

教室は、一クラス50人で一学年10クラス以上あった。生徒は、部活に所属する人と帰宅部に分かれた。運動部の多くが全国大会を目指し、結果を出していた。中学の時はサッカー部だったが、部活は考えなかった。県大会で大敗し、資質のなさを感じたのが理由だ。大成せずにサッカーだけで高校生活が終わるのを惜しく感じたし、学校経営に組み込まれるような嫌な感じもした。それで極真カラテを習いたいと思った。

兄が、高校時代に道場に通い興味を持った。小学生の時にブルースリーの「ドラゴンへの道」や「世界最強のカラテ キョクシン」の映画を観て興奮した。テレビで見た「空手バカ一代」のアニメが心に残り、少年マガジンで「四角いジャングル」を読んだ。1人の空手家が過酷な修行を経て、強靭な体を作り、世界に一流派を築き上げていくドラマは、少年に夢を与えた。

下宿の近くに道場があった。ただ、道場の看板は「極真会館」ではなく「大道塾《だいどうじゅく》」に変わっていた。この道場の峯田師範が極真で活躍した東孝《あずまたかし》氏の弟子だったため、東氏が極真から分かれて仙台で大道塾を立ち上げると、峯田道場も「大道塾」に看板を変えた。

大道塾のコンセプトは、極真で禁止していた顔面への打撃と柔道の技を認め、顔面を守るための面を付け、安全性を高め、総合格闘技の道を開くことだった。画期的だと思った。極真が直接打撃による実践空手の道を開き、大道塾は総合格闘技の道を開いた。

「何故、安全な総合格闘技が必要なのか？」

スポーツでも十分に心身を鍛えゲームを楽しむことができる。武器使用を認めればゲームにならない。近代スポーツは、遊びから始まり、フランスのクーベルタン男爵がオリンピックを始める際に平和や教育の理念を掲げて普及した。

武道は、「喧嘩のためか？」、「護身か？」、「強さの誇示か？」、「単なる憧れか？」、未だに分からないが、武道にはスポーツと違う魅力がある。フルコンタクトの練習をした人には分かるが、体は打たれると徐々に強くなる。そして、自信が生まれて優しくなる。道場訓に人格の陶冶《とうや》と言う言葉を目にするが、一理ある。

1年生の時、廊下でクラスメートの数人と打ち合い、見物人が集まった。これで仲間が増えた。学校から進路希望を聞かれると、「日本大学か山形大学への進学」と答えた。だが、本当は望んでいなかった。適当に答えていた。次第に周りに馴染み、目標を失い、時が過ぎた。

学校は楽しみを感じて通う場所ではなくなった。出席だけは義務付けられているが、各科目を学ぶ意味が分からないまま成績が決まる。良ければ日大に進めるし、更に良ければ山大を狙える。「良いじゃないか。一人前の人になれる」が常識だった。既に高校を出ることは当たり前になり、多くの生徒が大学に進学する時代だ。親の時代とは違う。大学を出れば、ひとかどの人物として扱われるのだ。そのことに魅力は感じないが、批判する術もない。「ならば、何になりたいのだ？」という問いに答えることができない。高校で進路を考えようと思っていた。だが、何をすれば良いのだ。自分に何ができるのか。分からないまま時が過ぎ、カバンを潰し、ヘアスタイルに凝り、学生服の形を変えることに時間をかけた。隠れてタバコを吸うのも高校生らしさと思うようになり、皆のやることは一通りやることにした。

１年過ぎ、下宿では３年生の先輩が卒業し、新入生が入って来た。悪気はなかったが、冗談でタバコを勧めた。彼は、それがショックだったようで先生に密告し、停学処分を受けた。心が折れた。親が呼び出された。親と一緒に新入生の親に謝りに行った。下宿を止め、家から１時間半の通学になった。何故、いきなり密告するのだ。自分が先輩から勧められた時は、「止めときます」と言って断った。何も言わずに密告する奴があるか。先生も酷い。先ずは叱り、止めねば停学が筋だ。それが教育だろ！　生徒に対する愛情のかけらもないのか。「お前下らないことするな。高校生活を大切にしろ」と指導せず、機械的な停学処分は厳し過ぎる。余りの無念さに反省するより学校を逆恨みするようになった。親に申し訳なく、通学の電車内で知人に停学処分を受けたことを話すのが恥ずかし過ぎた。母は、子供が家に戻ったのを嬉しく思ったかも知れない。2人の子供が家を出て寂しがっていた。それでも親の思いが煩わしかった。通学で新しい遊び仲間が増え、隠れ飲み会が増えた。

2年生の後期に、クラスメートが担任の先生に通信販売の品物を着払いで送り届ける悪戯を始めた。そして、勧めてきた。下らないと思いながら一筆書いた。これが筆跡でバレた。2人はお縄となり、2度目の停学処分を受けた。もはや親に合わす顔がなかった。辛かった。高額な品物ではないが、確かに許されざる悪戯だ。調子に乗ったでは済まない。しかし、これにしても先ずは叱責だろう！　最初で最後の一筆だ。たった一度の悪戯で2度目の停学は酷い。それにしても、何故、クラスメートは悪戯を始め、自分を誘い、乗ってしまったのか。正直のところ分からない。

誘ったクラスメートは、ヤンチャなタイプではない。進学を志す勉強派だ。見た目も真面目な奴だ。通販の悪戯は聞いたことがない。それを彼は思いつき、何故か自分だけを誘った。そして、一発で捕まった。2度の停学処分を受けた生徒は少ない。こんなことで箔をつけても意味がないが、一目置かれる存在になった。

3年生になる時、山形大学の近くにある喫茶店に入った。洋楽ロックのレコードが大量に置いてあり、リクエストするとかけてくれた。「ローリング・ストーンズ」のライブが話題の時代で、山大の学生バンドが出入りしていた。良い店だと思い、2階を見ると部屋がある。一瞬閃いた、ここに下宿できそうな気がした。店を出た脇道の奥に大家さんの家の玄関がある。「すみません」と言うと、ふくよかな年配の女性が出て来た。高校生であることを告げ、喫茶店の2階に下宿できるか聞いた。するとできると言う。ダメ元で親に下宿させてくれないか話した。自分で下宿先を見つけたことや通学の面倒などを話すと、渋々認めてくれた。これが、音楽との縁になった。

店では「オーティス・レディング」と言う黒人シンガーの話題が多かった。音楽通と思われる小粋な若い女性マスターが「ドック・オブ・ベイ」と言う曲を進めてくれて好きになり、レコードを買った。「ジミ・ヘンドリックス」や「エリック・クラプトン」など、当時の洋楽ロックに関する知識が増え、学生バンドのトレンドを吸収した。レコード針やアンプの機材に凝り大きなスピーカーで音楽を聴く時代だった。「ローリング・ストーンズ」の独特の不良臭さも気に入った。

2年生の時に電車通勤で別クラスの生徒と仲良くなった。彼は、ドラムセットを買ってもらい『アイアン・メイデン』など、ヘビメタのコピー練習をしている」と言う。そして、「高校時代の思い出作りにバンドをやりたい」と言う。だが、「仲間がいないので一緒に考えて欲しい」と相談された。顔が広いと思われた。エレキギターを弾ける友達がいた。他に2人の男子が「ギターとベースを始めたい」と言う。ギターの友達が、中学時代の同級生でキーボードのできる女子を知っていたので紹介してくれた。これで何かできると思った。最初、「ローリング・ストーンズ」や映画でヒットした「ブルース・ブラザース」のコピーを考えた。だが、日本の「ハウンド・ドッグ」や「ルースターズ」というバンドが楽でカッコいいということになり、練習し易い曲を選んだ。自分でもドラムを練習したが、物にならず、歌うことになった。

近くのスタジオで練習が始まり、新しい下宿はバンドの溜り場となった。譜面や楽器が常時置かれ、ラジカセで録音と再生を繰り返した。作詞や作曲も試みた。様々な仲間が訪れ、新しいことを考え、感じ、作る、高校生らしい体験をした。3年生の夏になり、4組のバンドと「ロックンロール・インターハイ」と称するコンサートを開いた。これが、高校生活で唯一の成果だ。だが、これで自分に音楽の才能がないことも分かった。コンサートでバンド活動は終わり、皆は進路に向けて歩み始めた。

秋になり、文化祭が終わり、打上げと称して飲み会を催した。この中に女子がいて、様子を詳しく日記に書いていた。彼女は学校を早退しようとした時、先生に呼び止められて鞄を調べられた。その時、日記を読まれて飲み会の様子がバレ、3度目の停学処分となった。こんなことがあるのか。奇跡的な悪夢だ。3度目は、退学の可能性がある。それでも担任教師は教育者か。生徒の人生を何だと思っているのだ。学校への逆恨みは絶頂に達した。母が来て大家さんに挨拶して下宿を出た。一緒に帰る途中、「絶対に退学させないよ」と言った。退学処分を受けたら学校を訴えるつもりだった。父は、家族を養うために高校を辞めざるを得なかった。申し訳なかった。全て自分が悪かった。あれほど、頼んで下宿を認めてくれた親と好意的に接してくれた大家さんに申し訳が立たない。この学校を選んだ3年間は何だったんだ。汚点だけが残り、先生とは顔を合わせるのも嫌になり、進路相談もできなくなった。大学に進む気はなくなった。これが更に4年続くことは考えられなかった。ヘアスタイルに興味があるから床屋になろうか？　旅行が好きだから添乗員になろうか？　或いは、ホテルマンになろうか？　思いつきで友達と進路について話しても狙いは定まらなかった。

進路に悩んでいる姿を見た兄が、東北電子専門学校を出てソフトの仕事をしている友人を紹介してくれた。その友人の話を聞いて、「お前でも就職できるかも知れない」と言った。これで進路が決まった。進路を考えようと思い高校を選んだが分からず、躓《つまず》いて決まった。進路は、選択肢が減り、残る可能性で決まる。何でもできる人はいない。何もできない人もいない。何かできるようになれば、何かできなくなる。進路が決まり、何とか卒業式の日を迎えた。卒業式が終わりほっとした。校歌の「ボーイズ・ビー・アンビシャス」が心の傷に沁みた。かけがえのない青春の時が過ぎた。

東北電子でＩＴの道へ

高校卒業後、仙台で新たな生活が始まった。多賀城寮に住み、仙台に電車で通った。東北６県から多くの学生が集まっていた。授業が始まり、クラスメートの全員が自己紹介した後、級長の投票が行われ、何故か自分が選ばれた。

東北電子の２年生コースは、１学期半年ごとの成績でクラス分けしていた。入試がないので誰でも入れるが、２年目にクラスの毛並みが揃う。寮では、朝夕の食事が出た。六畳一間を２人で使った。高校時代の反省もあり、少しは勉強しようと思った。

入学早々に簿記の検定試験があり、パスした。２進数、16進数の基数変換から始まり、コンピュータの仕組みやフローチャート、プログラミングの授業と並行して、数学、英語、簿記の科目があった。

当時の実技は、タイプの練習から始まり、大型コンピュータの操作が中心だった。他に、プログラミング言語を勉強するための携帯型端末が自由に使えた。

当然だが、今のカリキュラムは80年代と全く違う。ウェブ技術中心でＡＩやセキュリティーの専門コースもある。高卒だけでなく社会人や留学生も対象にしている。

東日本大震災の後に多賀城周辺を車で見て回り、被害の大きさに驚いた。当時、寮の同期でファッションに詳しい仲間がいた。登米《とめ》高校のサッカー部で活躍し、全国大会に出たと言った。日大山形高校より強かったと自慢した。彼は、大型のステレオとコーヒーメーカーを持ち込み、マガジンハウスの雑誌や服飾系の本を良く見ていた。ジャズのレコードを沢山持っていて、音楽に詳しかった。「マイルス・デイビス」、「バド・パウエル」、「ソニー・ロリンズ」、「カウント・ベーシー」など、モダンジャズと靴や服の知識が、彼のお陰で身に付いた。だが、彼はコンピュータの勉強をする様子はなく、明らかに遊び人だった。３ヶ月も経たない内に寮を出て、服飾店の販売員としてアルバイトをしながら女子とのデートに情熱を燃やしていた。授業にも顔を見せなくなり、久しぶりに会った時には借金で困っていた。

もう一人、寮で気の合う友達ができた。デキルタイプではないが、徒党を組まず誠実に何でも話せる男だった。彼は、ある時タイプライターがなくなり騒いだ。物は、盗まれた。この寮に入居する時、古びた母親の原付バイクをもらい、鮭川から一日がかりで乗って来た。そのバイクをある時、寮の仲間が借りたいと言い、貸したら盗まれたと言う。盗難届は出したが見つからず、本人は謝り、1万円しか出せないと言い許すことにした。寮では麻雀仲間がグループを作り、居心地が悪くなった。そして、2年目にアパートに引越した。

この頃、大道塾本部に通った。東孝《あずまたかし》先生が健在で、長田《おさだ》賢一先輩に拳の握り方を教わった。彼は、強かった。後に、格闘家としてムエタイ王者と闘い名を馳せた。バイトも始めた。デパ地下の中華レストランのウェイターになり、中華料理や料理人の人柄、接待業の作法を覚えた。デパート催事場の実演販売員の助手をやり、見事な話術と演技に感心した。掃除機の先に着ける毛の付いた『羽箒《はぼうき》』が実演の後によく売れた。思わず「この羽箒完璧ですね」と言うと、「完璧な品物はないんだよ、だから売れるんだよ」と言われたのが忘れられない。生鮮食品売り場で魚の販売員をした時、店の人に気に入られ、就職しないかと誘われた。

85年のプラザ合意でバブル経済が始まり、仙台にもお洒落なカフェバーが幾つもでき、そこでカクテルの名前を覚えた。授業には規則通り出た。1度さぼった日、学校から実家に連絡されて親から電報が届いた。「1度の欠席で連絡するとは何事か」と講師に言い寄ったが、「嫌なら休むな」と言い返された。当時は、「出来が悪いと東京に就職する羽目になる」と脅された。出来の良い人が地元に残り、東京に就職すると2～3年で嫌になり戻ってくるのが常識だった。

進路相談の時、将来の希望を聞かれ「シリコンバレーでシリコンを掘ってみたい」と答えた。若い先生は笑いながら「シリコンは掘るもんじゃないんだよ」と言った。この時、本気になっても良かったと思う。

偉くなる人は、東北大学に入る。東北電子は、職を得るために入る。それでもITが普及して、大卒が資格取得のために入るケースが増えた。専門学校は大学と違い、知恵ではなく技能だけを教える。経営者が専門卒を使い易いと感じる利点だ。逆に、知恵を教える大学が専門学校化している。経団連が、「大学は役に立たない事ばかり教えている」と言うと、芯のない大学はなびく。学歴より資格の値打ちが上がると専門学校は儲かる。

進路相談の結果、2～3年でも一度は東京で暮らしてみたいと思い、東京にある会社を学校の求人票から探した。住宅費が負担と思い、「社宅有り」で絞った。そして、10年前に設立し60人ほどの社員が働く独立系のソフトハウスが良さそうと思い応募した。

会社の事務所は日比谷線の茅場町駅近くにあった。同期と一緒に上京し、社長の面接を受けて採用が決まった。それから、30年以上の月日が流れた。

第３章　社会人

バブル時代の新人生活

就職先の会社は、中央区新富町にあった。4月の入社に先立ち、社内で開発中のシステムを見せてもらい、細かいデータを複雑に並べる作業を体験した。社員の方は、「心配しないで、入社したらこんな簡単な仕事はさせないから」と言った。脅しとも、労わりとも感じた。帰りに、社長と営業の方に小料理屋に誘われて、ご馳走になった。

86年当時、「ソフトハウス」と言う言葉は、まだ普及していなかった。多くのソフトウェアは、ハードウェアの付属品としてメーカーで作られていた。企業で使う大型コンピュータの情報システムもメーカーの社員や電算室と言われる部署の人が開発していた。

「MS DOS」がパソコンOSとして普及し、ソフトハウスがアプリを作り始めた頃だ。アップル社の『マッキントッシュ』も話題になったが、日本では普及していなかった。会社は、独立系ソフトハウスのベンチャー企業として、日本の景気が上向く中で事業を伸ばしていた。将来性のある仕事で社会人となった。

社宅は、江東区にある団地の13階にあり、２ＤＫの間取りに3人で住む生活が始まった。四畳半一間を1年先輩が使った。彼も東北電子卒業生だ。もう1つの六畳一間を、同期と共有した。社宅は2年間の期限付きだった。四畳のキッチンに、自分のテーブルを置いて電話を付けた。冷蔵庫、バス、トイレ、キッチンを3人で使った。寝るだけの場所だったが、屋上からの眺めが良かった。「ディズニーランド」や「夢の島体育館」ができたばかりで、休日の散策が楽しかった。

砂町銀座商店街が近くにあり、路上で魚の干物が賑やかに売られていた。銀座の「マガジンハウス」と「テイジン・メンズショップ」に出かけて買い物した。ファッション雑誌で見たシーンが、そこにあった。

六本木のマハラジャやジュリアナ東京が話題になった。中学、高校、専門時代の友人と街で再会した。錦糸町のカラオケパブには丁髷姿の力士がいた。寄席で落語を聴いた。バブルが始まった東京だった。

会社には、数十名の社員がいた。そこに、自分を含め12名の新人が入社した。大卒男子2名、

大卒女子2名、専門卒男子6名、専門卒女子1名、高卒男子1名だ。

3ヶ月間の新人研修があった。ビジネスマナーからアプリ開発の方法まで、デキルタイプの先輩女子が専任で研修を担当した。「東京ビッグサイト」のイベントでブース展示した時は、広報を任された。

初仕事は、運送会社で引越しの見積りに使うハンディー端末のプログラミングだった。「MS DOS」のパソコンで「BASIC」のプログラムを作った。家具や本棚などの家財と個数を入力し、金額が計算される簡単なシステムだ。

その後、ライオンズマンションの組合費を管理するシステム改修チームに移った。代々木にある事務センターに6人で常駐し、プログラムを改修した。富士通の「オフコン」と呼ばれるコンピュータで運用していた。コンピュータルームの中で音の出る機械と大きな「ディスクパック装置」が動いていた。

この道10年以上の経験者が何人かいたが、短気で変わった人が多かった。デジタルでロジカルな見方と判断のパターンに片寄せされている感じの人だ。競馬やパチンコのギャンブルが好きで、喫煙と飲酒で体を壊す人もいた。日本経済の立役者であるメーカーの社員に比べ、身分は低く、日陰者だった。それでも、仕事は増えていた。

入社した年の社員旅行が、グアム島の海外旅行だった。初めてパスポートを作った。景気が上がると仕事は増えるが、中小企業やベンチャーの人材採用は難しくなる。ソフトハウスは、この頃から採用に苦慮していた。離職率も高い。同期で入社した新人が1年目で4人辞めた。近場の海外旅行は社員を引き付けるのが狙いだ。

2年目に入り、新しいプロジェクトに異動になった。食品会社の川崎工場で「生産管理システム」を新規に開発することになり、DEC社のコンピュータが採用された。この時、「アンダーセン・コンサルティング」が業務分析を行い、ベテラン技術者が個人契約で参画していた。我が社は、ベテラン1人と、自分と同期の3人で始めた。社長から「統合的品質管理」を覚えろと発破をかけられた。

プロジェクトは工場の下見から始まり、機械の仕様確認、システムの機能分割、チーム分けと進んだ。初の大プロジェクトで、在庫管理を担当した。川崎工場への通勤は直ぐに慣れ、日増しに忙しくなった。

奇妙な女占い師の訪問

社宅に1人でいた時、玄関のベルが鳴った。ドアの覗きレンズを見ると、地味な感じの眼鏡をかけた小柄な女性が立っていた。ドアを開けると「良い相をしてますね」と言う。何のことか訊《たず》ねると「手相を見せて下さい」と言う。手を開くと、手のひらにある皺《しわ》をなぞり手相を語り出した。そして、姓名判断をすればもっと詳しいことが分かると言う。無料だと言うのでキッチンで名前を教えて占いをしてもらった。

彼女は、画数を分解するような作業をした後に不安を煽るようなことを言い、印鑑のカタログを鞄から取り出し、財が流れる形や、人望を失う形の説明を始めた。これで、印鑑の訪問販売だと分かった。印鑑販売なら興味がないと言って断ると、「あなたとは、又、お会いします」と言って帰った。奇妙な訪問販売だった。時が立ち、このことは忘れていた。

ある日、先輩から「面白い講演を聴きに行かないか」と誘われた。「何の講演か」訊ねるとチラシを1枚見せた。それは、世界情勢を知る自己啓発セミナーだった。妙だった。以前の先輩はタバコを吸い、暇があればパチンコをしていた。時折、彼女が宿泊していた。細面の男前ではあったが、デキルタイプではなかった。時間にはだらしなく、本は全く読まない。その先輩がタバコとパチンコを止めていた。彼女も来なくなった。以前のだらしない表情が消え、何か思い詰めた面持ちに変わっていた。そして、国際政治に関する講演に誘ってきた。

先輩は、確かに変わった。危険を感じながらも、何が彼を変えたのか知りたいと思った。講演ではなく、「先輩を変えたもの」に興味が湧いた。先輩は、同期も誘ったが、同期は危険を感じて避けた。

講演会場は、神田にある普通のセミナールームだった。30人ほどの人が集まり、女性の講師が冷戦問題と解決の道について語った。「冷戦には宗教的な問題があり、それを解決するリーダーが存在する」と言うのが結論だった。その講師の雰囲気でピンときた。あの印鑑販売員と同じなのだ。

講演の後、「印鑑販売員だろう」と先輩を問い詰めた。自分がいない時に、あの印鑑販売員が再訪し、彼に何か吹き込んだのだ。印鑑を買ったのか聞いたら、「買った」と答えた。10万円以上もする印鑑を買っていた。しかし、その印鑑と講演のつながりが分からない。問い詰めると「キリストの再臨」がいると言う。「阿呆か！」と吹いたが、彼の表情は変わらなかった。そこで興味に火が付いた。

インチキ宗教だが、何かあると思った。先輩は、「小岩のビデオ学習センターで全て分かる」と言う。「無料だ」と言う。この時から、小岩に通い始めた。

小岩のビデオ学習センターには小ぎれいなテーブルが数席あり、カウンセラーがいた。ここで、ビデオの講義を見てお茶を飲みながら品の良い女性カウンセラーと講義の感想を話す。自己啓発セミナーの教育団体と称していた。ビデオ15巻の講義が終わる頃、隣の新小岩にある学習センターで仲間と一緒に講師による学習を続けることを勧められた。

実にフレンドリーな教室だった。ここの学習の中で初めて文鮮明氏がキリストの再臨であること、この団体が「統一教会」であることが明かされた。そして、「共産主義は悪魔であるため、自由を守るために戦わなければならない」こと、「ここには、選ばれた者が集められている」など、新小岩の館は「統一教会」と「国際勝共連合」を正当化するための教義を吹き込む場所だった。それでも、霊感商法の悪徳非道ぶりを知るまでは、好感を持てた。

徐々に、教会の共同生活に入るように促された。一旦、この生活に入ると生活の足場を失い復帰が難しくなる。だが、社宅に住めなくなる日が迫っていたので、住む場所を考える時だった。

更に進むと、仕事を辞めて教会の活動に専念することが求められる。これを「献身」と言う。この団体への転職は、人生の選択肢になりうるのか。会社は良くしてくれた。だが、一生働く職場か。危険を感じながらも、「献身」について考えた。

「やってみて、もし、正しいと思えれば続ければ良し、駄目なら腹を決めて新しい道を探せば良いではないか。何故、こんな無茶苦茶な教義で、世界的に、堂々とヌケヌケと続けられるのか。知りたいではないか。まだ、21才だ。生きていれば、やり直せる」

献身生活は政権絡み

新小岩での共同生活が始まり、帰宅後に小岩や新小岩の路上で勧誘活動をするようになった。そして、睡眠時間が減り、仕事中に眠くなり、周りの人に度々注意されるようになった。アンケート調査を口実に路上を歩く若い20歳代から30歳代と思われる男女を引き留め、用紙に従い質問し、世間話をして個人情報を引き出し、ビデオ学習センターに誘導する。「統一教会」の勧誘は、知人を始め、路上でのアンケートと、印鑑や念珠などを訪問販売することで縁を作り、人を選んで引き込む。何れも、初めから「統一教会」の名を明かすことなく、自己啓発セミナーなどの名目でビデオ学習センターや講演に誘い、人を増やしていた。

悪名高い高額な壺の販売は、印鑑や念珠、その他の品々を購入させた最後に、全財産を神の支配圏である教会側に移転するための手段だった。又、合同結婚式への参加は、キリストの再臨である文鮮明夫妻の分身として世界を完全な姿に復帰するための祖先の罪を贖《あなが》う儀式とされた。

即ち、「全ての人と全ての物を教会の支配権に移転すること」が世界の完成であり、「統一教会に献身し、合同結婚式を受ける者を完全な世界を築く選民」とする恐ろしい教義であり、洗脳されているとはいえ真面目に遂行する狂気の団体だ。

全ての献身者が、善意でこの活動を行っていた。この行為に躊躇する思いは、「堕落性」として戒められた。

文鮮明氏が生まれた朝鮮半島は、神と悪魔の最終戦争の聖地であり、教会員の祖国であり、南北統一は神の彼岸として三拝敬礼し祈願する対象であった。

この教義を聴いて、直ちに、真に受ける人はいない。しかし、歴史観や神の創造論を現代の国際政治情勢と都合よく関連付けて、聖書解釈を利用し、我こそは聖書に予言された再臨のメシアであるとヌケヌケと言い張り、呆れるほどの存在感を示されると呆気に取られるのだ。そして、活動を世界に広げ、「国際勝共連合」と言う政治団体を通じて政府自民党の選挙活動を支えていた。自分は、これらの教義を真に受けなかったが、信じている人もいた。信じているふりをしている人もいた。

共同生活でリンチのような暴力はない。あるのは、霊的な脅しと洗脳によるコントロールだ。共同生活は、お互いの監視機能が働き規律が守られる。洗脳と教育は、目的が違うだけでプロセスは同じだ。洗脳は組織のためであり、教育は本人のためだ。

路上の勧誘で30歳代の男性をビデオ学習センターに導引した。近江と名乗る彼は、個人で営むソフトの技術者だった。彼は、この活動を知っていた。その上で応じたのだ。仕事の話が弾み、一緒に起業しようと言ってきた。ソフト会社の起業を考えていた。勧誘を受けながら起業相手を探していた。近江は、左足に障害のある人だった。「統一教会」は、障害者を献身の対象から外すが、物は売るので連絡先を控えた。後日、先輩女子と共に印鑑販売を目的に訪問した。近江は、既に購入経験があり断ったが、縁は続いた。

会社を辞める時が来た。社長に、「俺が親父ならぶん殴る！」と怒られた。「殴られてもいいですよ」と言ったら、吹き出して笑った。心は、決まった。社宅を出る時、同期は、「何かあったのか？」と心配そうに尋ねた。「なんでもない、元気でな」と言い別れた。彼にも勧誘したが、この団体を知っていて頑なに断った。それ以来、私を警戒していた。全ての知人が勧誘対象になる。断る人を敵とし、自と他、見方と敵をハッキリ分ける。これを「聖別」と言った。正に、人間関係の破壊だ。勧誘は、あちらと、こちらを峻別する行為だった。少し残したが、全財産の貯金15万円を渡して献身した。私物を持てないところに、足を踏み入れてしまった。

献身後、新小岩にある東京十区の拠点に移った。「統一教会」の主な活動は、事業団と呼ぶ商業活動で、宝石商、美術商、清涼飲料の製造販売、印鑑や念珠の販売、海産干物の製造販売、コンピュータ関連機器の製造販売、不動産など多岐にわたる。韓国で統一グループと言えば事業集団のことであり、文鮮明氏は実業家だ。アメリカでも広く活動し、脱税容疑で投獄されている。教会は、「無実の罪で投獄され、模範囚として過ごした生活」を美談として語っていた。又、「国際勝共連合」と言う政治団体があり、「世界日報」と言う新聞も発行している。

ある人は、「日帝統治時代に天皇を神格化して武力統治し、臣民教育を強要した日本への恨み」と、「同じ民族間で凄惨な殺戮が行われた朝鮮戦争で体験した共産主義への恐怖から生まれたお化け」と考えた。

何れにしても、これらの活動は並みの詐欺師が悪意だけで為せる業ではない。教祖自ら、「我こそキリストの再臨」と信じ、神に与えられた使命を全うすべく命がけで生きている。ナチスのヒットラーや中国共産党の毛沢東も正義のために恐ろしい殺戮に至った。歴史に悪名を残す暴君や独裁者と言われる人の特徴だ。

献身者は、各拠点で共同生活をし、何れかの活動に従事するようになる。この活動を「み旨《むね》」と称し、働く、食べる、寝る、話す、祈る、全ての行為と知、情、意である心は、教会が目指す理想のために存在するのであり個人の人格は否定され、一人になることは許されない。朝6時に起床し、掃除があり、全員で食事を済ませた後に聖歌を歌い祈り、仕事に出る。

食事を作る役割もある。全てが薄味でカロリーを抑える。余分なエネルギーを与えないためだ。睡眠は、5時間ほどで惰眠は許されない。週に1度、調整日と言われる日があり、洗濯や身の回りを整える時間があるが休日はない。献身後、1年以内に7日間の断食が義務づけられる。月に1万円支給されるが、下着や身の回りの品物を揃えるための費用だ。そして、強固な仲間意識が形成され、年齢不詳で地味な独特の雰囲気が身に付く。社宅に訪れた印鑑販売員の雰囲気だ。

87年12月に献身した。先輩は、人に献身を勧めておきながら、自分は献身していなかった。会社は辞めていたが、アルバイトをしながら躊躇していた。

初の任務は、「国際勝共連合」の「日韓安全保障セミナー」への同行だった。この時、初めて韓国に渡り、38度線の軍事境界線にある板門店を訪れた。「国際勝共連合」は、保守系の政治団体関係者を韓国に招き、ロッテホテルで北朝鮮亡命者の講演会を催し、板門店で韓国軍から停戦状況の説明を受けるセミナーを定期的に行っていた。この時、高校の同級生と同じ部屋に泊まった。日本大学に進学した彼は献身し、「国際勝共連合」の活動をしていた。「渡部兄」と呼ばれた。仲間のことを男は兄、女は姉の敬称を付けて呼ぶことになっている。


このセミナーから戻ると、東京都議会選挙が始まり、自民党の候補者を応援することになった。足立区が任地で医師と幼稚園オーナーのポスターを貼り、街宣を手伝った。選挙事務所でポスターを預かり、町中に貼った。

橋脚に貼ろうとしていた時、巡査に事情聴取を求められた。住所、電話番号、名前を伝えた。「貼るな」と注意を受けただけだが、後日、電話してきた。拠点の長に呼ばれ、巡査の所属部署と名前を聞くように言われた。長に聞いた内容を伝えると、「巡査を黙らせる」と言う。「統一教会」の活動は、政権に守られていた。大物政治家が関与し、政府は警察が霊感商法を捕まえるのを抑えていた。大胆に動ける理由は、政治権力だった。

人件費をゼロにし、献身の際に全財産を出させ、霊的な話術で法外な物品販売をして得た金で政治家を取り込み、選挙を無報酬で応援し勝たせ、権力を使い事業を広げるビジネスモデルだ。「統一教会」の教義は、このビジネスモデルを正当化するための高度な経営理念なのだ。遺憾ながら、多くの日本人経営者を魅了した。勿論、真似てはいけない。

東京都議会選挙の後、珍味売りと呼ばれる乾物の販売活動が始まった。ミニバンに5人ほどで乗り込み、車内で寝泊まりし、1ヶ月以上旅をしながら6種類の乾物を訪問販売する。試食を弁当箱に詰めて、スポーツバッグ一杯に品物を詰め、一日中走り回る。多くの人が哀れみ買ってくれた。売れ行きが悪い時は、深夜まで続いた。「堕落性」を消すための訓練と称し、全ての献身者が例外なく行う通過儀礼だった。これが終わる頃には、個人的な感情が失われ、非情なまでに「み旨」に忠実になる。

次の仕事は、印鑑販売だった。販売に先立ち、占いを覚えた。手相や人相、画数による姓名判断のマニュアルがあった。本当の占いではなく、販売の口実として開発されたノウハウ集である。アプローチから始まり、対話を確立し、弱みを引き出し、不安を刺激し、解消手段としての販売につなげる流れがある。珍味売りで情緒的な感情が失われていないと情に負ける。人格の弱い人ほど速やかに情を失い従順になるが、強い人は人格が残り売れない。10万円以上する印鑑や念珠は簡単に売れない。実用的な目的で買う人はいない。心をつかみ、動かさなければならない。世の中には、悩み苦しみを抱えている人が多い、その弱みに善意でつけこむのだ。

印鑑販売は、3ヶ月ほど続いた。しかし、一つの実績も出せなかった。それで良かった。この活動は毎日ペアを変え、男女2人1組で行う。どちらかが占いの先生役で、もう一人は弟子として先生を引き立てる役だ。売れると全員に報知され、食事の時に称賛を受ける。

この活動をしている時、富士美術という美術商の絵画展があり、父を展覧会に誘った。父は、阪和興業から鋼材を仕入れて加工し、清水建設の工事に多く納めていたので、東京には頻繁に出張で来た。出張ついでに新小岩の事務所で長と一緒に面会したことがある。終始批判的な物言いをしていたが、抗議することはなかった。足立区に「統一教会」を支持する建設業界の有名社長がいたので父は知っていた。赤坂の展覧会を案内した時、勧めずとも自ら40万円ほどの絵画を買った。その絵は、家の玄関に今でも飾られている。「統一教会」時代に販売した唯一の高額商品だ。

印鑑販売の後、拠点が東京十区から千葉の蘇我に移ることになった。異動は頻繁に行われた。身元を隠し、反対する親の抗議をかわし、警察の捜査を避けるためだ。

蘇我での活動は、「メッコール」と言う清涼飲料の販売だった。韓国で大量に量産されて日本に輸出されていたが、捌き切れずに拠点に積まれていた。自動販売機の設置と缶の入れ替えが主な仕事だった。千葉県内の至る所を回り設置の交渉をし、売り上げを回収し缶を入れ替えた。

脱会を決意し知を求む

献身から1年過ぎた。合同結婚式までに聖書は7回、経典である原理講論は12回読むことになっていた。聖書を読んでいるうちに、本気でこれを勉強したいと思うようになった。原理講論は、オリジナルな作りものだ。しかし、聖書は人類の歴史に多大な影響を与えている。何故、それほどの影響を与えたのか。分かっていない。この団体の教義を聞いただけだ。

そもそも共産主義とは何なのか。大学の哲学の科目で学ぶであろうことを知らずに、この活動を続けることに疑問が湧いてきた。このままいけば、次は合同結婚式だ。これを受けると後戻りは更に難しくなる。「献身」の時に知りたいと思ったことは既に分かった。

迷い始めてからミスが増えた。自動車を駐車する時、壁にこすってしまい。長に厳しく非難されて口論となった。

体育館にある自動販売機の缶を入れ替えている時、平成と書かれた額を掲げる小渕元首相の顔がテレビに映っていた。

新小岩の拠点への異動命令が出た。蘇我駅から総武線で新小岩駅に向かった。降りずに通過した。新宿に辿り着き降りた。歌舞伎町のロッテリアで考えた。今頃、拠点では騒ぎが起きている。鮭川の家に電話するだろう。また母が心配すると思い心が痛んだ。ロッテリアで一晩過ごし、朝に高田馬場の公園まで歩いた。ジーパンを履き、ボタンダウンの白いシャツを着ていた。アタッシュケースの中に正装用のスーツと聖書、そして、研究社のポケット英和辞典だけがあった。所持金は、1万円だ。「宗教とは？」、「宗教家とは？」、「宗教団体とは？」、「歴史とは？」、「政治とは？」、「世界とは？」、「経営とは？」、「結婚とは？」、「戦後問題とは？」何なのか考え始め、知識のないことを悔やんだ。高校の時に学ぶべきことだったのではないか？　何故、こんなことが世の中にあることを誰も教えないのだ。図書館で納得いくまで本を読みたいと思った。だが、これからどうするか。大学で勉強すべきか。しかし、「統一教会」で東京大学や京都大学の大学院を中退した人と一緒に珍味を売っていた。大学で勉強しても駄目じゃないか。考える時間が欲しいと思った。

アルバイト情報誌を買い、住居付きで日雇いの仕事を探した。産経新聞の勧誘員の仕事があった。電話をして高田馬場駅前の事務所に行った。直ぐに、ベテランについて訪問を始めた。夕方になり板橋区にある古い木造2階建ての長屋に案内してもらい、四畳半一間の部屋がもらえた。部屋の内側に蛇口が付いて、一組の布団だけが置いてあった。少しカビ臭いがありがたかった。トイレは共用で風呂は銭湯だ。この建物に12人が暮らしていた。1組の老夫婦もいた。

朝、8時に高田馬場にある事務所に出社し、朝礼の後に野球チケットや洗剤、ビール券などの拡販材を受取り個別訪問に出て、夕方に取得契約を換金した。3ヶ月、半年、1年の契約があり、それぞれ、2千円、5千円、1万円だ。契約が取れなければゼロ。当てのないその日暮らしの生活だ。

1日回ると何件か取れた。初のゼロの時、先輩が2千円くれた。この活動にも向き不向きがある。若くて可愛めの子は、日に10件の契約を常に取っていたので、月に50万円以上稼いでいた。それでいて、日中はパチンコを打ち、2〜3時間集中的に回るだけだった。自分は真面目に回って平均3〜4件がやっとだ。それでも、稀に10件以上取れたこともあり、1月後に15万円ほどの資金ができた。

仕事以外の時間は、新聞と聖書を丁寧に読み、図書館で読書に没頭した。真っ先に『共産党宣言』(マルクス&エンゲルス)を読み、いい本だと思った。鮭川の家に電話したら案の定、「統一教会」から電話が入り、居場所を教えて欲しいと頼んだと言う。親はキッパリ断ったようだ。

コンピュータの仕事に戻ろうと思い、求人雑誌を買った。社宅付きの会社が新宿にあった。スーツを着てアタッシュケースを持ち、面接を受けた。昭島《あきしま》市に本社があるビルメンテナンスの会社だが、パソコン事業を始めていた。これまでの経緯を全て話した。89年5月、バブル景気で中小企業は人材採用に困っていた。人が採れずに倒産する会社もあった。長屋で会社からオファーの電話を受けた。三菱重工と日本IBMが出資して設立した菱友システムズとの取引のために新宿に事務所を出していた。社長の親族が取引先の役員らしく、縁故でＩＢＭパソコンをグループ会社に設置するサービスとアプリの開発を始めたらしい。昭島市の東中神にある六畳一間のアパートを社宅として借りてくれた。青梅線の東中神駅に着いた時、教会の十字架が見えた。この教会に行こうと思った。

神を信じ洗礼を受ける

社宅に住み始めた最初の日曜日に教会に出かけた。教会に行くのは初めてだった。「日本キリスト教団昭島教会」の看板がある。礼拝がどのようなものか知らず、教会の入口で看板を見ていると年配の牧師がドアを開けた。「どうぞ」と言われて入った。これ以来、毎週礼拝に出席するようになった。

世に言う、当たり前の教会礼拝が行われていた。オルガンで賛美歌を歌い、説教を聞き、礼拝後にお菓子とお茶で世間話をする。女性の割合が多く、中高年が多い。幼稚園が併設されている。

日本キリスト教団は、戦前に乱立していた異なるプロテスタント教会諸派が軍国主義の国策のために統合された日本で最も信徒の多いキリスト教団体だ。戦後、戦争遂行に協力したことを懺悔した。当時、社会党支持者が多く、左翼的な団体と考えられていた。実際、戦前の軍国主義を嫌い、左翼的な活動をしている人もいた。
「統一教会」から子供を取り戻すための反対牧師の会と言うグループが教団内にできていた。昭島教会に反対活動はなかったが、「統一教会」を脱会してきたと話すと緊張し身構えられた。ここで宣伝しようとしているのではないかと警戒された。「キリスト教とはどんなもので、何故に世界の歴史に大きな影響を与えたのか。何が救いなのか。宗教とは、宗教家とは、宗教団体とは何なのか」をハッキリしたいと思っていた。正に、悩む者であり、道を求める者だった。人は、宗教で変わることを「統一教会」で知った。

人は、拝むものに似る。多くの新興宗教があり、思想団体がある。そこに所属する人は、似た雰囲気を持つ。神仏習合、故郷の曹洞宗正源寺にも似た雰囲気がある。昭島教会にも信徒の雰囲気がある。明るい感じがした。それが霊なのだと思う。偶像は我欲の化身だ。人は、叶わぬ欲望を形に変える。一方、宗教は苦しみから救われたいとの願いから生まれた。仏陀は、苦しみの原因を悟り、解脱のための修行を定めた。キリスト者は、存在する神を信じ、共にあることを願う。物、団体、人に依らない。信仰に至るのは神の恵みであり、救いは絶対他力なのだ。だが、カルトは、人を拝み、団体に帰依させ、全ての物を奪う。

神の戒めは、神の国と義を求めること、汝を愛する如く隣人を愛すに尽きる。信じて告白すれば救われる。それだけのこと。本当だろうか。何が変わるのか。「信じてみよう」、そう思った。

「この際、教団の左翼的な政治臭さには鼻をつまみ、素直に神を信じてみようじゃないか」

初めて訪れた時から半年弱、90年1月に洗礼を受け、キリスト者となった。記念聖書が贈られ、牧師の直筆で聖句が書かれた。

「柔和な人たちはさいわいである。彼らは、地を受けつぐであろう」

マタイによる福音書5章5節。これにて、世界20億人クリスチャンの仲間となり、どの国、どの教会でも信徒として礼拝に参加できる。「救われた者は死んでも死なない」、この信仰が2千年以上続き、人類の歴史にはかり知れない影響を与えた。

どれほどの苦しみが世を覆ってきたことか。如何なる知恵も名声も神の前には無に等しい。欲が熟して罪となる。罪の代価は死なり。人は、生きている限り罪を犯す。しかし、神の救いは限りなし。義人はいない。一人もいない。この世に聖者は一人もなし。人に頼らず、主に頼め。神と富とに仕えることはできない。世を友とする者は神に敵対する者である。これで求道は終わったか。否、登山口に辿り着いただけだった。

今、世界のキリスト教は、カソリック、正教会、プロテスタントなどの宗派に関わらず超教派（エキュメニカル）と福音派（エバンジェリカル）に分かれる。昭島教会は、超教派だ。1910年に英国のエディンバラから始まった教会一致運動の流れで、世界中の教会がスイスのジュネーブにある「世界教会協議会」に加盟し多数派となった。この流れで新共同訳聖書が日本で作られた。一方、米国の共和党支持者で知られる福音派がいる。日本にも福音派の人がいて、超教派を「自称クリスチャン。ヒューマニズム的で気の抜けた信仰」と揶揄し、聖書を文字通り解釈しろと言う。超教派は、「福音派は狂信的な原理主義者」と揶揄し、聖書は書かれた当時の社会背景を理解して著者の意図を読み取れと言う。そして、「論語読みの論語知らず」に譬《たと》える。超教派は他宗教も認めるが、福音派は偶像礼拝と考え認めない。

信じて何が変わったか。愚かなことだったのか。霊が変わったのだ。他は、何も変わらない。

第４章　デジタル生活

パソコン革命の幕開け

新しい会社は、新宿若松町の高層住宅1階に、アプリの開発事務所と設置パソコンの倉庫を構えていた。菱友システムズが法人営業を行い、会社が必要なアプリをインストールし、OSとネットワークの設定を施して運搬し、クライアントのオフィスに設置していた。通常は、会社所有のワゴン車で足りたが、台数が多い時はトラックを借りた。

三菱重工グループ各社へのシステム導入や入れ替えが多かった。相模原のキャタピラー工場や横須賀の造船所への導入が多く、多い時は1日で100台以上設置した。

当時最も売れていたパソコンは、NECの98シリーズだが、法人向けはIBMが多かった。「3270」と言われる大型コンピュータが売れると、端末としてのパソコンが大量に接続された。丁度、ラップトップと言われた小型のパソコンからノート型に変わる時代だった。3・5インチのフロッピーディスクを記憶媒体として使い、ソフトのインストールのために10枚以上差し替えた。CPUの性能やメモリ容量の制限内でソフトの動きを速めるために様々な工夫を凝らした。

ＩＢＭの社内ネットワーク技術が進み導入が増えた。ＩＢＭが開発した「ＯＳ２」と言うＯＳソフトが発売され、パソコンでマルチタスク（二つ以上のプログラムを1台のコンピュータ内で同時に実行すること）が始まった。「ＣＡＤＡＭ」と言う設計ソフトが良く売れた。「ＩＢＭ　ＰＳ／55ノート」が、世界初のＷＩＮＤＯＷＳ搭載ノートパソコンとして発売された。白黒画面のウィンドウがマウスクリックで動いた。

アプリ開発は、ＢＡＳＩＣでプログラミングしていた。ＩＢＭ野洲工場で使う「受発注システム」と「電子メールソフト」の開発だ。通信のためにモデムを使い、電話のダイヤル接続でデータを送受信した。モデムはつながる時、ガショガショと音を出した。電子メールはテキスト文字だけを扱い、特定のユーザーと通信を行うシステムだが、送受信、返信、転送機能があり、検索機能も付けた自前システムだった。

会社にベテラン技術者はいなかった。30代の主任男子と20代の若手男子技術者がメインで開発していた。新人女子が1人いたが戦力にならない。部長は、新宿のパソコン事業と昭島のビルメンテナンス事業をかけ持ち、課長が客先常駐サービスの営業を行い4～5人が客先で働いていた。気分屋の主婦パート技術者がたまに顔を出し、仕事の愚痴を零《こぼ》した。もう一人、受付事務の主婦パートがパソコン事業部の顔だ。そこに新宿スタッフとして自分が加わった。

プログラミングは、問題なくできた。社長は通常昭島にいたが、たまに「トヨタクラウン」で顔を出し、昭島まで送ってくれた。車内では「統一教会」のことや実家の家業のこと、休日の過ごし方を話した。キャバレーに誘ってくれたが断った。


東中神駅前に市民図書館があり通い始めた。新聞の勧誘員をしていた時、新宿の紀伊國屋書店に寄り、目についた文庫本を数冊買った。ジャン＝ジャック・ルソーの『社会契約論』、イマヌエル・カントの『永遠平和のために』、レフ・トルストイの『人生論』、新渡戸稲造の『武士道』、マルクス＆エンゲルスの『共産党宣言』、プラトンの『国家』だ。これで岩波文庫の本は間違いないと思い、図書館にある岩波文庫を手当たり次第に読み進め、新潮文庫の小説も始めてヘルマン・ヘッセの『シッダールタ』が心底気に入りヘッセの本を読破した。道元の『正法眼蔵』も気に入った。

トレーニングも始めた。皇居の周りを走り、ジムで筋トレし、プールで泳いだ。スポーツタイプの自転車を買い、多摩湖周辺を走った。入社の歓迎会があり、2年ぶりにビールを飲んだ。自由は素晴らしいものだった。捨てられていたテレビを拾い、部屋で点けたら写った。ソファーベッドを買い、電気炬燵を買い、電話を付けた。やっと、普通の生活に辿り着いた。

新聞の勧誘員をしていた時、新宿のサウナでバーカウンターのアルバイトをかけ持ちし、入社しても少しの間続けた。休日前夜だけのバーテンダーだ。そのカウンターに、食品工場のシステム開発で働いていた時のリーダーが客として現れた。数名の部下と一緒だった。白いワイシャツに蝶ネクタイの姿をした自分に気付くことなくヤクルトを注文した。話の内容から生産管理システムの開発プロジェクトが続いていることが分かった。辞めなければ一緒に働いていた筈だ。テレビに田原総一朗の「朝まで生テレビ」が映り、客の多くが観ていた。辞めたのは間違いではないと思えた。辞めて問題意識を得たからだ。「統一教会」が世の中の問題を見せてくれた。危険を避け、「献身」しなければ、空虚なままで時を過ごしたに違いない。高校の時に聞いていれば痛い思いをせずに済んだ。競争で順位を決めるよりよっぽど大事なことだ。世の中の問題を解決する人を育てるのが誠の教育ではないのか。問題は隠され、競争に駆りだされ、労働力としてのみ世を過ごす人生から脱却できた。問題を見つめ、理想を求め、世の中を対象化して考える心を見つけたのだ。

親の愛情はありがたい

新宿での仕事は、順調に進んだ。パソコンの設置とアプリ開発に加え「ＡＳ４００」と言うＩＢＭのオフィス・コンピュータ向けアプリ開発も始まった。虎ノ門にある菱友システムズに赴き、研修を受け専用プログラミングを覚えた。

新宿のパソコン事業部は明るくなった。これを見た客先常駐組が、新宿で働きたいと言い出した。昭島にあるスピーカー工場に常駐し、一人で運用サービスをしている人がいた。彼は一人作業に疎外感を感じ、仕事をつまらないルーチンワークと感じていた。新宿が楽しそうに思え、アプリ開発がカッコよく見えたようだ。彼の望みで、交代することになった。

1週間の引継ぎで、彼は運用サービスへの愚痴を零《こぼ》した。自分は寧ろ、一人になれる仕事を好んだ。社宅から歩いて10分の場所にある。日立の大型コンピュータを操作できる。大きな二つのオープンリールの磁気テープが回っていた。夜10時から始まり、朝4時頃に終わる。早ければ午前2時に終わる。1人作業で時間が自由になる。本を好きなだけ読める。彼は、新宿でアプリ開発を始めたが全くものにならなかった。

この仕事に慣れた頃、鮭川の実家から電話が来た。鉄工所で長年事務をしていた年配の女性からだった。母が倒れて新庄の病院に入院したと言う。腎不全だった。新宿にいる彼に運用を代行してもらい、新庄の病院に向かった。

母は、自分を見るなり涙を流して手を取った。人工透析が始まっていた。新庄の農家から鮭川の鉄工所に嫁ぎ、父と一緒に働き詰めた。朝６時前に起きて家族の朝食を作り、８時には鉄筋図面の原寸を床に描く作業を始めて、昼と夜の食事を作り、子供を育て、従業員に気を使い、集落の活動を熟した。

既に、トイレで排泄ができない体になっていた。２人きりの病室で、息子の手を取り、子供の頃の小さくて可愛らしかった手の話をした。大きくなった手を撫でながら、高校の時のことを思い出し、「青春もあったたな」と呟き、「統一教会は、ダメだったろ」と見つめた。「お前は何時でも帰ってこれる家があるんだよ。子供のことを思わない親はいないんだからね。治ったら、お前のところに行く。あれも運命、これも運命、人に成れれば、それで良い」それが、母の最期の言葉だった。

1ヶ月後、再び電話が来た。母が逝った。事務の人は、「『タクシーを使ってもいいから直ぐ帰れ』と父が言っている」と言った。タクシーを捕まえ、運転手に山形の鮭川まで行けるか聞いた。行けると言うのでタクシーで鮭川の家まで帰った。運賃は、14万円だった。家では顔なじみの親戚や集落の人が大勢集まり泣いていた。父は、「悪いことしたな」と呟いた。大きなものを失った。何があっても、家に帰れば無条件で喜び、いつも心配し、絶対の愛情を持つ唯一の存在が消えた。兄は、実家で家業を継いでいた。父には、母に過酷な仕事をさせたことを罵り、弟には心配をかけ過ぎたことを罵った。

真室川の正源寺で葬儀が行われた後に棺に納められ、灰となった。1週間の慶弔休暇の後、運用を代行してくれた彼にアラミスの香水を渡して感謝し、仕事に戻った。

慶弔休暇中に兄と月山のスキー場で撮った写真がある。バブル景気で建築の単価が上がり、鉄工所は儲かっていた。兄は、自分の設計で家を増築し、車を買い替え、スキー用具に凝り、生活を楽しんでいた。

四十九日の法要が済むと、父は、「家を探せ」と言った。仕事で上京した時に中古の分譲団地を見せた。父は、「これで良い」と言い、間もなく現金で買った。

社宅から団地に引越すことを話すと驚かれた。部長は、「引越しする時はパソコン設置で使うワゴン車を使え」と言ってくれた。一人で荷積みし、3階の新居に運び入れた。これで20棟660世帯の団地住民となった。

71年に建てられた分譲団地だ。戦後、住宅供給の目的で大量の団地ができた。70年代、新築分譲団地は高倍率の抽選で手に入れる憧れの住まいだった。広い敷地に芝生の庭があり、植栽が多く、駐車場、テニスコート、運動広場がある。

バブルの影響で不動産価格は高騰していた。多くの人が、不動産価値は下がらないと思っていた。だが上昇は止まり、やや下がるのが見えた。父には、少し待つように忠告したが、高値で買った。これを機に同額の生命保険に入り保険証券を渡した。

日本文化を求め合気道

住所が立川市に変わり、団地の生活が始まった。岡倉覚三（天心）の『茶の本』を読んでいるうちに日本文化に興味が湧いてきた。キリスト者となり、日本人であるということの意味が気になり始めた。

キリスト教は、西洋の宗教と言われることが多いが、アジアにも大勢のクリスチャンがいる。日本では1%ほどの少数派だが、それでも100万人だ。初詣や祭り、法要や式事などの冠婚葬祭は、地域の伝統となり、人々を結びつける役割を果たしている。宗教が変わると風習が変わる。風習が変わると日本人ではなくなるのか。しかし、風習は時代や場所で異なり、日本人の特徴とは思えない。歴史や言語は確かに日本人が共有する文化だが、外国人でも日本の歴史や言語を学べば知識は同じだ。日本人らしいことをハッキリしたくなった。

茶道は、代表的な日本文化だ。千利休が戦国時代に道を拓き、「日本人らしさ」の形成に影響を与えた。俳句と同じく禅宗の影響を受け、「侘《わ》び」と「寂《さ》び」の美がある。国籍は、法的に日本人を証す。領土における自然、象徴としての天皇も「日本人らしさ」の源だ。

映画の「利休」を見て茶道を習いたくなり、新宿で茶道の家元を訪ねた。師範らしき女性が現れ、「あなたが習いたいの?」と不思議そうに問われ、「今お弟子さんは取ってないんですよ」と丁寧に断られた。何故、断られたのか分からなかったが、拘《こだわ》ることなく諦めた。

会社に通勤する道沿いに、合気道の本部道場がある。合気道の名前は知っていたが、どんな武道か知らなかった。茶道は諦めたが、合気道が気になり始めた。これも、日本的な文化ではないか。新渡戸稲造の『武士道』で感銘を受けた。見学し入門した。

世界には様々な文化があり、民族がある。何故、これらの多様性はあるのか。日本にも固有の良さがあると思う。それとも、「何れ人類は一つの言語、文化、制度に集約される途上にあるのか？文化、宗教、哲学の違いとは？　武道は文化かスポーツか？　武道の神前への礼は偶像礼拝か？」

ソフトの仕事と合気道、教会礼拝と読書をループする生活で考えた。

合気道の場合、開祖である植芝盛平《うえしばもりへい》翁の写真や掛け軸に礼をするが、これは理念に対する敬意の表明だ。武道は礼に始まり礼で終わる。それは、他者への敬意と誠の表明であり、鏡を配した神棚は己を知れと戒める。決して我欲の化身ではない。

稽古を重ねるうちに、合気道には独特の面白味があるのが分かってきた。「大道塾」では、体の動きを機能的に考え、素手による打ち技と投げ技で攻防し、勝敗を競う。強くなるために筋トレに励み、柔軟性を高め、スピードのある技を磨く。合気道は、試合をしない。全てが攻撃と受けの約束稽古だ。立ち技と座り技があり、短刀、杖、太刀の武器もある。これで武道と言えるのか。最初戸惑った。動く禅とも言うらしい。しかし、技は極まる。型だが、極まる感じが面白い。上手い、下手があり、続けると鍛えられる。

極真会がフルコンタクト空手を世に広め、大道塾が総合格闘技の道を開き、格闘技の商業化が世界的に進む中で合気道は変わらずに同じスタイルを維持し、ファンを増やし世界に普及した。現代化した日本文化の一つだ。茶道は、形式的な文化だが、合気道は、日常生活の所作に無意識に表れる感覚がある。それは、大道塾の空道にはない。空道は、意図的に倒そうとする技だ。スポーツは、プレイを楽しむためにやる。

「何が最強の武道か?」、勝敗は、ルールで決まる。戦争は、降参すれば負けだ。相撲のルールと柔道のルールは違う。総合格闘技もルール内の勝敗だ。武器使用は認められず、1対1の対戦だ。最強などない。

「実践的とは?」、極真カラテは、直接打撃の実践カラテと名乗り世界に名を馳せた。しかし、投げ技や、顔面攻撃を禁じた。正当防衛以外の目的で他者を攻撃すれば、犯罪だ。学生の部活であれば成績になる。興行であれば収益になるが、普通の社会人が武道で鍛える価値は、コミュニティと生涯体育、そして護身だ。合気道で分かった。実践的とは、日常生活でメリットがあることだ。

合気道を始めて2年過ぎ、初段になった。合気道は初段から袴を着る。剣道や弓道も袴だ。日本人が袴を着るようになったのには諸説ある。剣の戦いの中で膝の動きを隠すためだと言う説がある。膝の動きで次の攻撃が分かるので、膝の動きを隠すことで相手の動きを制するらしい。

士族階級の身分を示す目的と言う説もある。何れにしても、現代武道の道着は伝統の継承とユニフォームの意味を持つ。見た目で何の武道か分かる。空手や柔道は初段から黒帯をつける。座技で膝の擦れを守る機能的な意味もある。有段者を示すことで手加減すべきか否かを判断できる。

武道には昇級・昇段審査がある。級は、10級から1級に向かって下り、初段となり、2段、3段と格が上がる。このシステムが、稽古の継続的な目標を定め、道場経営を支える。これが、スポーツ競技との決定的な違いで、道と言う文化の核になる。

稽古を重ねるうちに仲間ができた。「大道塾」と比べれば楽な稽古だが、最初は難しかった。突きや蹴りほど単純ではない。無理に力で決めようとしても相手は動いてくれない。

下手な者同士で気が合い、赤ちょうちんに寄ることが増えた。焼き鳥をつまみながら武道談義で盛り上がる。徐々に仲間が増えた。20代独身男女が、習いもので青春を謳歌していた。大阪で合気道を始めて本部に憧れ上京し、警備員のバイトをしながら稽古に情熱を傾ける人。借金の取り立て人と思われる人。大学の英語非常勤講師。豊島区役所職員。荒川区役所職員。東芝のSE。不動産販売の人。金融会社のOL。女性臨床検査技師。法律嫌いな法学部の女子大生などが合コンさながらの飲み会を繰り返していた。豊島区役所職員が3段に昇格したこともあり、彼を幹事とする合宿を催すようになった。車に相乗りで東京多摩、山梨、千葉の温泉に人気師範を招待し、稽古はほどほどに花火やバーベキューを楽しみ、恋愛を育み、彼は結婚した。この頃の写真が多い。

大学の英語講師は、道場に近い2DKアパートに住み、休日前によく泊めてくれた。マッキントッシュを英語の仕事に使っていた。彼とは、パソコンについてよく話した。ソフトの仕事に興味があり、英語講師を辞めてコンピュータの仕事をしたいと話した。部屋にはコンピュータに関する英語の雑誌や本が沢山あり、インターネットを知っていた。

91年に日本でインターネットを知っていた人は少ない。「ワールド・ワイド・ウェブと言う仕組みをイギリス人科学者が発明して一般公開されたと言い、これが世界中で話題になり、普及が始まった」と言う。インターネットという通信方法でアドレスを持つ文書がリンクされて表示される活気的な仕組みだ。「これが広がると世界中の文書がつながり、膨大な情報が見られるようになる」と言う。合気道は、重要な情報源でもあった。

バブル崩壊時のベンチャー

90年に冷戦が終わった。ミハイル・ゴルバチョフのペレストロイカが進み、ソ連体制が崩れ、全欧安保協力会議で関係国が調印しロシア連邦ができた。ドイツでベルリンの壁が崩れた。中国で天安門事件が起きた。世界中の人が社会主義経済の失敗を認めた。「国際勝共連合」の活動は効を奏した。戦後の冷戦の中で、共産革命への盾は必要だった。もし、日本が共産圏に組み入れられていたら、今の自由はない。戦前の軍国日本も嫌だが、共産圏も嫌だ。

日本は日米安保の中で、他のアジア諸国に先んじて米国への輸出を伸ばし、米国と競うほどの経済大国に成長した。輸出が過剰となり、米国の労働者に敵意を抱かれるまでになった。「ジャパン・アズ・ナンバーワン」の言葉が躍り、株と不動産価格が高騰した。冷戦が終われば、ソ連の侵攻に備えた在日米軍は要らない筈だ。だが、北朝鮮と中国への脅威を理由に在日米軍と日米安保による同盟関係は維持された。

嘗《かつ》て、立川には米軍基地があった。今、基地は福生《ふっさ》に移り、跡地は昭和記念公園となった。安保闘争が盛んな時代にデモ隊が米軍の飛行場に侵入し検挙され、在日米軍は憲法違反か否かを問う裁判が行われた。最高裁判所は、「高度に政治的な判断を避ける」と判決を下し、米国が日本国憲法の上にあることがハッキリした。福生の基地では、今でも頻繁に軍用飛行が続いている。

スピーカー工場の運用は、新たに人を採用して引継ぎ、新宿に戻ることになった。採用された人は、近くに住んでいる防衛庁を定年退官したシニアの方だった。引継ぎ中に、長い役人生活で見た役所の内情や防衛について話してくれた。

新宿では新しいアプリ開発の仕事が待っていた。三菱重工本社の秘書課で使う、役員報酬システムの開発だ。新宿で作業し、大手町にある秘書室に出向き、導入して動かす作業を繰り返した。夜になると、秘書課の課長に度々食事に誘われた。秘書の方と銀座で寿司を頂き、ホテルのバーで遅くまで飲むこともあった。帰りはハイヤーが出た。

会社に入社し2年過ぎ、給与に不満を感じ始めた。バブル時代の大手企業のＳＥと比べるとあまりに低く、上がる見込みもない。人事制度は、ビルメンテナンス会社と同じなため、技術者を採用するのが難しい。デキル人から転職した。パソコン事業の成長は難しいと感じた。

手帳にある近江の電話番号を見て思いだした。「統一教会」時代に小岩で勧誘していた時、彼は起業したいと言っていた。山崎浩子や飯星景子が脱会で話題になっていた。電話してみた。新しい会社でSEをしていることを話すと、「会いたい」と言う。新宿のコーヒー店で待ち合わせ会食し、お互い仕事の経歴を話した。彼は、前と変わらず起業を考えていた。それから何度か会食を重ねてインターネットの話で盛り上がると、彼は「自分が出資するから一緒に会社を始めないか」と持ちかけた。人脈があり、仕事の見込みはあると言う。給与は、倍増する。新技術で成長するチャンスがある。ベンチャーだ。

牧師に相談したら「あなたは人の良い所があるな」と心配そうに忠告してくれた。そして沈黙し、暫く考えて「何かある人なんだろうな」と呟いた。「何があるんですか」と尋ねると、「何とも言えないが、あなたは何かある人だ」と言う。それで、起業を決めた。

バブル景気は、人々の欲望を刺激した。「日本的経営」が誇らしく語られ、個人主義が戒められた。同じものを大量に、安く、間違いなく作るために「統合的品質管理」が普及し、日本の製造業は世界一になった。これを実現したのは、規格化だ。皆で足並みを揃え、一緒に行動することを徹底し、欧米を追い越した。

85年のプラザ合意で1ドル250円だったレートが150円になり、増えた円が金利の低下により不動産と株に大量に流れ価格を押し上げた。人がいれば金になる時代だった。

市川市の本八幡駅の近くにある近江のアパートで新会社を設立した。これを知った青年会議所の支部長が協力させて欲しいと電話してきた。地元を拠点に量販店を経営する2代目社長だ。「一橋大学で経営学修士を取った」と言う。炬燵を囲んで初の経営会議を開き、社長、専務、常務の役職が決まり、名刺を作った。

会社で部長に辞職願を出した。仕事には影響を与えないことを約束し、1ヶ月後の退社が決まった。続けて欲しいとは言われたが、起業してみたいことを話すと認めてくれた。そして、「これから景気が下がるから用心しろ」と忠告してくれた。不動産と株の価格は下がり始めていた。

3人で営業活動を始めた。近江は確かに人脈があった。アポを取り、3人で5社ほど設立の挨拶で回った。その内の「日本技研」と言う会社で大和総研の仕事をしているので手伝って欲しいと言う。自分が手伝うことになった。近江は別のプロジェクトに就いた。専務は、無報酬で営業を手伝うと言う。彼が欲しいのは人だった。

近江は、事業が始まるとはしゃいだ。キャバクラで接待営業し、我々にも奢った。大和総研の仕事は、大型コンピュータのプログラミングだった。国際的な証券取引で発生する通信データの様式を変換する処理だ。初めて金融機関のシステムを経験した。着任早々、２週間のプログラミング研修を受けた。これで当時、世界で最も普及した金融機関で使うコンピュータの操作を覚えた。日本技研は、10人の島で働いていた。

半年経ち、大和総研から「日科技研」の仕事に移って欲しいと申し入れを受けた。日科技研は、「統合的品質管理」や「経営分析ソフト」で名が知れた会社で、日本科学技術連盟のシステム子会社だ。ここで、アパレルショップの売り上げを分析するソフトの新規開発を依頼された。パソコンの新しいデータベースツールを自力で覚え、システムを企画設計し、若手社員を育てながらクライアントが希望した期限内で完成させ好評を得た。技術者として初のオリジナル作品となった。

このプロジェクトが終わる頃、大和総研で働いていた「日本技研」のメンバーが、皆を使って欲しいと頼みに来た。「証券会社の仕事がなくなった」と言う。その夜、専務から電話がきた。「日本技研が２度目の不渡りを出した」と言う。社長の部屋に集まり「日本技研」から売り上げを回収する方法を考えたが、破産が決まり回収できないことが分かった。それでも、社長は給料を全額払ってくれた。だが、会社は解散し失業者となった。

テレビと新聞に「バブル崩壊」の文字が現れ、株と不動産の価格が急に下がり始めた。人々は、まだ、一時的なことだと思っていた。だが、半年経つと、皆が一つの時代が終わったことを知った。山一証券が潰れ、日産が工場の閉鎖を決め、失業者が溢れた。建設業の仕事が減り、単価が落ちた。

それでも、パソコンの進化は続いた。セガのゲームスロット付きデスクトップパソコンを買い、沖電気のモデムを電話回線につなぎ、パソコン通信を始めた。秋葉原で海賊版と思われる英語版の「ウインドウズ3・1」が、12枚のフロッピーディスクに納められ、輪ゴムで巻かれてワゴン販売されていた。隣には、ウインドウズ用の「MS エクセル」が同じようにあった。これを4時間かけてインストールし、起動するとカラフルな窓画面がゆっくりと動いた。パソコンの進化に驚きながら、就活を始めた。雑誌の求人は、極端に減った。数少ないSE職を求め、電話して面接を申し入れた。

一時のソリューションビジネス

２ヶ月目に会社の面接を受けた。大きめのフロアーに部長だけが腰かけ、経理女子が社長室と思われる場所で忙しく物を片づけていた。横浜に事務所を移転する作業中だった。

採用試験で新事業案を書き、面接で英語版「ウインドウズ３・１」や「日科技研」で使った「データベースシステム」の実績を話すと、部長はにやりと笑った。面接先は、日立家電で欧州市場を開拓した社長と日立製作所時代に中東で取引をしていた部長が始めた会社だ。日立のグループ会社に人を出して稼いでいた。だが、バブル崩壊で80人の技術者が戻されて事業が立ち行かず新事業を考えていた。横浜の金港町《きんこうちょう》にある日立ソフト内の小さな一室が新しい事務所だった。社長スペースに応接セットと部長机、経理女子の机の他に４つの作業机があるだけだ。

社長、部長、経理以外の社員は、客先常駐の形で15人ほど働いていた。リストラで解雇された社員が訴訟を起こしていた。横浜の事務所で新事業案に関する論述試験を受けた。パソコンソフトの製品企画とサービス形態、需要分析と実現性、販路開拓、短期、中期、長期の目標を２時間で書き、社長が読んだ。これで、採用が決まった。

立川から横浜まで片道2時間の通勤が始まった。本が読めるのはいいが、ラッシュ時は座れず混雑の中で立ち続ける。仕事は、パソコンをセッティングすることから始まり、論述試験で書いた事業計画を文書化するのが初仕事だった。古いワープロと表計算が入っていた。

社長は事業計画を見て、新事業の名称を「ソリューションビジネス」と命名した。また、「企業資源計画」と言う言葉がなかった時代に、販売管理、給与計算、会計、人事などのソフトを組み合わせて事業改革を促すサービスを考えた。日立製作所から独立した部長の知人から「ビジネス・プロセス・リエンジニアリング（BPR）」の考え方を教わった。

給与計算から自社プロダクトの開発を進めることにし、他者のプロダクトと代理店契約を結び、ソフト販売と「カスタマイズ・サービス」に力を入れる。日立グループの協力会社ネットワークを通じて、オフィス・コンピュータのリース切り替え時にパソコンに替えるサービスを紹介した。

社長の車に乗り、知人への挨拶回りが始まった。給与計算の自社プロダクトを開発するにあたり、「データベースツール」の選択に時間がかかった。ウインドウズ用のデータベースが出始めたが、当時のパソコンスペックでは動きが遅過ぎた。結果、「ＭＳ　ＤＯＳ」で動くツールに決めた。

部長が「日経コンピュータ」に記事を掲載したところ、トヨタの協力会社から引き合いがあり、名古屋出張が増えた。部長の知人で、学習塾とソフト会社を兼業する人が、テレビ局で使う電話アンケートを集計するソフトを開発していて協力することになった。

日本ＩＢＭから本田技研工業の和光研究所で使う「データベースシステム」を「ＳＱＬ（問合せ言語）」化したいという要望を受け、仕事が増えた。

日立ソフトが自社パソコンの生産を始め、代理店として販売することになった。新事業の要員を増やすことになり、客先常駐から１人戻し、新規に２人採用した。経理女子が協力するためにソフトの勉強を始めた。

彼女は、中学の社会科教員を辞めて銀行に勤めたが、セクハラが嫌で転職してきた。だが、客先常駐が嫌でソフトの仕事を避けていた。事務所で２人になると、教員時代の嫌だったことや銀行員のスケベな醜態をよく話し、タバコを吹かした。ルイヴィトンのバッグに男性向けマンガ雑誌を入れ、暇になると取り出して読み、ニタニタしながら過ごした。その彼女が、新事業を見て技術者を羨むようになり、通信制の講座を受けて勉強し、仕様に口を出すようになった。だが、それ以上は進まなかった。

社長は、1人に新事業が依存するのを警戒した。個人主義は駄目だと言い。年功序列を頑なに守った。それで、良い人材には恵まれず、新事業は低調なまま時が過ぎた。

3年経ち、取引先は増えたが、利益は伸びなかった。和光研究所に3ヶ月常駐し、横浜に戻ると社長は以前の人出しビジネスに戻っていた。景気が回復し、大型コンピュータの引き合いが増え、「ソリューションビジネス」への関心は薄れたようだった。「ネットスケープ」が普及版のブラウザを作り、インターネットが動き始めた。家で「HTML（ハイパー・テキスト・マークアップ・ランゲージ）」を試した。これを、アプリにつなげれば不特定多数が使うサービスになる。新しい時代が始まるのが分かった。

社長にインターネットにつながるアプリの開発をしてみたいと話した。だが、「どうせお前しか分からないだろう」と批判し、聞こうとはしなかった。そして、「大型コンピュータの仕事があるから客先常駐しろ」と言う。新事業に挑戦させてくれたのはありがたいが、上がる見込みのない低賃金で望まない仕事をする気になれなかった。日本的経営は、インターネットの可能性を見逃した。系列グループ構造の序列化と集団主義の企業文化が、個人が有する能力の発露を阻んだ。アマゾンやヤフーがサービスを始め、ドイツのSAPがERP（企業資源管理）パッケージ「R／3」を始めた頃だ。グーグルとアリババは、まだ、生まれていない。一時の「ソリューションビジネス」であったことを悟り、長時間通勤にも嫌気がさし、会社を去った。

フリーランスが社員を断る

95年に会社を辞めて小説を書き始めた。勤める気にならず、独立独歩で生きていける方法はないものかと考えた。阪神淡路大震災が起き、「オウム真理教」のサリン事件が起きた。「ベッコアメ・インターネット」が日本初のプロバイダ事業を始め、「ウインドウズ95」が発売された。大きな変化が始まったのを感じたが、何もできなかった。

震災の発生で、多くのボランティアが自立的に組織化し活動した。NGOやNPOと言う言葉が目につくようになり、ボランティア元年と呼ばれた。

図書館でピーター・ドラッカーの『ポスト資本主義社会』を読んだ。バブル崩壊を経験し、次の時代に興味が湧いた。知識社会が到来すると書かれてある。情報化社会の小説が書ければ値打ちがあると思えた。「オウム真理教」は知っていたが、凶悪のほどに驚いた。「統一教会」は、政権と癒着するタイプだ。「オウム真理教」は、武力で社会の転覆を狙った。成功すると思ったのか不思議でならない。この事件にはヒヤリとし、実行犯が憐れに思えた。

宗教団体の問題は日本に限らないが、異常な活動が多い。自由の代償とも考えられる。軍国時代や共産圏では抑えられる異常な独裁者が、自由の中で若者の無知や社会への不満を刺激し、独自の教義を編み出し集団を操る。

問題の広がりは、情報化社会も影響している。ビデオと言うメディアが普及したことで教義を広め易くなり、パソコンの普及でテキストの複製と配布が無料と化した。多くの情報へのアクセスが可能となる一方で、自身の価値観や判断基準を体系づけるのが難しくなり、呑み込み易く作られた教義で人格の空白を埋める。自ら考え動く力を養う教育が必要だが、そうなっていない。宗教の精神性は、学校のみならず社会から排除され、何がまともか感じる機会がない。その上、冷戦終結で共産主義の選択肢は消えた。

小説を書くにあたり、モデルとなりうる作家と作品があった。ヘルマン・ヘッセの『シッダールタ』と石川達三の『結婚の生態』だ。勿論、ノーベル賞受賞者や第一回芥川賞受賞者と同じものを書けるとは思わない。だが、ヘッセは、唯一自分とよく似た性格の持ち主だと思えた作家であり、『シッダールタ』は霊性とも言える詩の境地を感じた作品で、作風を真似たいと思った。ヘッセは、この作品を機に作風を変え、晩年の傑作『知と愛』、『ガラス玉演戯』を書き遺した。石川達三は、近江に『僕たちの失敗』が面白いと勧められて読んだのが始めで、後に全作品を読破した。社会のリアルな描写が見事だ。『結婚の生態』は、何故、人は結婚をするのか考える機会になった。一緒に生活するためか、子孫を残すためか、社会的な責任か、結婚するのは普通のことなのか、離婚は罪か、合同結婚式は悪か。

婚姻と言う法制度は、欧州で生まれた近代社会制度の一つだ。一夫一婦制と扶養の義務、財産相続を規定し、住居を共にすることが定められた。古代、中世において、婚姻という法制度は人類共通の習わしではない。一夫多婦は、日本に限らず多くの中世身分制社会で行われた。「統一教会」は神の組み合わせと称し、選択の自由を否定し、無差別な国際結婚を数合わせで挙行し、完全な世界を築く聖なる選民とし祝福する。これを狂気とするならば、理想的な自由恋愛による婚姻が、どれほど人を幸せにするのか。

カトリック国のフランスでは、離婚すれば社会に疎まれるために慎重となり、結婚を避ける傾向があると言う。『結婚の生態』の主人公は、絵描きの旦那と結婚したが、売れない旦那は次第に怠惰な生活を送るようになり、妻は旦那を支えるために悲劇の生涯を送ることになる。

2人の作家をモデルに90年代の社会変化の中で、20代の青春を過ごす男女の恋愛小説に挑戦した。ヘッセの真似はできないが、石川達三の真似はできそうな気がした。恋愛小説を書いていることを、専門学校時代の友人や合気道の仲間や教会の人に話した。そしたら、笑われ、「無理だろう」、「甘くない」と諭された。小説では、生きていけないことが分かった。

偶々《たまたま》、近江から電話がきた。損保の仕事の依頼だ。東村山市に事務センターがあり、業務委託で常駐できないかと尋ねられた。近江は、会社を解散した後に人材紹介会社を始めていた。晴れた日は自転車で通える距離だ。引き受けることにした。

制服姿の女性が多い職場だった。担当課長の下で営業店システムを保守するサービスだ。「オンライン」と「一括処理」のプログラミングがあり、業務要件を受けてシステムを調べ、設計、プログラミング、テストを行い、承認後にリリースする。自分以外にも数人の常駐者がいて作業を分担した。

社員食堂がある綺麗なオフィスだったが、「過密労働反対」や「長時間労働反対」などの労働組合の張り紙が何枚も貼られていた。だが、我々常駐者と比べれば過密でもなく、長時間でもないように見えた。社員の方々が労働組合交渉のために高級ホテルに集まっている時は、我々がシステムを守った。

１年経つと仕事に慣れ、フリーランスの良さが感じられた。作業に関係のない会議に出る必要はなく、昇進や異動を考えなくて済む。報酬は、以前の倍以上だ。

休日は、ＮＧＯに関する本を読むようになった。人権、環境、貧困、里親など様々な団体が増えていた。これらの団体で活動する人はどんな気持ちで参加するのか。報酬を得るスタッフは生活のためだろうが、寄付し、無償で労力を提供するのは何故か。

ユニセフは国連組織だが、一般募金により巨額な資金を運用する大事業だ。日本も敗戦後の復興期に援助を受けた。高学歴で優秀なスタッフが集まる。国連は、エリートの好むキャリアだ。

寄付する人は、活動内容と成果に共感し善意で協力する。「ボランティアは、自由意志の証ではないか。アブラハム・マズローが唱える欲求段階の頂きか」、そう思い、ユニセフの月額寄付を始めた。他の団体から募金を頼まれても断る理由になる。ユニセフに寄付しているから後ろめたさを感じず全て断る。所得控除になる。機関紙で世界の困難な状況が分かる。

「地球緑化センター」の「緑の親善大使」という植林ツアーにも興味が湧いた。中国内モンゴルで砂漠緑化を研究する「中国科学院」に協力してヤナギ科の苗を植える。北京から12時間寝台列車に乗り、3日間砂漠に植樹し、夜は現地の人と交流する。帰りは北京で観光だ。初の中国旅行で、環境活動だ。

96年10月に参加した。これを職場で話すと話題になり、飲み会に誘われることが増えた。飲み会には年頃の女子が多く、好みのタイプを聞かれた。担当課長とは、一緒に昼食を取るようになった。契約期限の3ヶ月前になり、担当課長に会議室に呼ばれ「社員になれ！　断れば今月で切る」と脅され、1週間後の回答を求められた。

先ずは、こんな脅しに屈するのは嫌だと思った。しかし、金融機関の正社員だ。一部上場企業の社名で社会的信用を得られる。学のある年頃の制服姿で美しい女子との結婚も夢ではない。日大山形高校3度停学にしては大出世だ。家もある。身を固めるチャンスだ。30才を超えた適齢期じゃないか。冒険はそろそろ止めて落ち着けば、まずまずの人生が送れる。

この時、中学時代に国語の先生に言われた「あなたは、何かある人だ」と言う助言を思い出した。教会の牧師も同様の助言をしてくれた。ここで、社員になれば「何か」を捨てることになる。それで良いのか。保険会社の社員は他の人でも良い。「何か」があるのは自分だけだ。自分らしい「何か」を貫くために丁重に断り、去ることにした。正解だった。

住宅管理組合理事と環境活動

団地では、管理組合の理事に選任され、初めて団地の運営に加わることになった。団地は、５階建て20棟からなり、敷地が広く植栽が多い。サンデークラブという住民ボランティアの手入れでは足りず、造園業者に委託し、経費負担となっていた。

６６０世帯が暮らせば派閥もできる。理事会は、派閥の面倒に直面した。理事会の運営は、民主主義の勉強になる。東京海上の代理店を営む副理事が、団地の火災保険を扱い手数料を得たことで批判を受けた。これで集合住宅住まいの難しさが分かった。理事の任期は2年、月１万円の報酬だ。組合費を抑えるため、管理業務は業者を使わず全て自前で行う。その分、役員の負担は増える。住民ボランティアが動くか否かで業者への出費が変わる。これで、ボランティアの価値を実感した。

社会は、営利目的の取引だけでは成り立たない。ボランティアでコミュニティもできる。だが、老害は要注意だ。行き場のない寂しさに苛まれている高齢者は多い。寂しくてコミュニティに顔を出し、お節介をやく。これが厄介だ。断ると怒り、受け入れると余計な世話をやく。老害を避けながら人を集め、最小限の活動に納めるのがボランティアのコツだ。

中国内モンゴルの植林ツアーに参加したのは、理事会の経験が動機だ。旅は、北京から列車に乗り包頭《パオトウ》で乗り換え、内モンゴルに向かい、エジンホロ旗（オルドス市）と言う場所で2泊3日間の植林活動を行う。帰りは北京に泊まり、万里の長城と紫禁城を観光する。7泊8日だ。これで共産国家中国を体験できる。天安門事件の現場を見れる。北京の街を見れる。黄砂の原因が分かる。ジンギスカンのモンゴル文化を体験できる。地球環境を研究する「中国科学院」と交流できる。

96年10月、成田から北京に飛んだ。12名が参加した。隊長は、会計士の理事だ。現地に早稲田大学卒の若い男子が駐在していた。中国語が堪能で切れるタイプだが、「役に立てることはない」と愚痴を零していた。彼に聞いてNGOスタッフの不安定な就労状況が見えた。夫婦で参加した会社員、銀行員女子、男女の大学生、農業試験場の講師、ロンドンでメリルリンチに勤務する女子などと片道12時間の鉄道の旅を共にした。

木の2段ベッドで寝て車内食堂で食事を取った。魚や肉は新鮮とは言えず内装も古いが、「これでも一等車両だ」と言われた。現地の宿泊施設は、木造の学校のような建物だった。装飾はなく、簡易ベッドがあるだけの部屋で2泊し、朝8時から夕方4時までヤナギのような木の苗木を植えた。広大な砂漠に1メートル四方の格子の草の囲いが広がり、その中に植えていく。砂の動きを止める処置を施し、乾燥に強いヤナギで緑化する。

砂漠の緑化活動は、「中国科学院」が計画的に進めている事業らしく、人の営みで砂漠化した場所が対象だ。モンゴル軍が栄えた頃、過剰な放牧で草の根が絶やされ砂漠化が進んだらしい。それが黄砂となり、日本列島まで届く。

夜は、円卓を囲み羊の肉がふるまわれ、隊長は宴を盛り上げるために出し物を命じた。山形から参加した老夫妻の夫は、日中戦争に参戦し、敗戦後、中国に残留し捕虜となり、労役に就いた経験があるため共産軍の軍歌を歌えた。「帰国して蔵王に戻り、精密工場を営み、中国と貿易している」と言う。このツアーの後、「地球緑化センター」の東京事務所で再会し、写真を交換した。そして、国内の森林活動を紹介された。

国内の森林は、人手が入らず、財としての価値を失い、強風に弱く、台風で多くの木が倒れ、根が抜けて土が流れ、禿げる山が増えていると言う。明治から経済成長期まで、山持ちは儲かった。拡大造林で杉が大量に植えられた。しかし、外材が輸入されると、瞬く間に国内の木材は売れなくなり、事業の成長が止まり、需要が減り、金はなくなり、山は放置された。材にするには、間伐が必要だ。日本の山は、伐《き》らずに荒れている。このままでは林業は廃れ、先人が遺した山の価値がなくなる。だから、「山と緑の協力隊に人を集め、休日を使い、市民の力で日本の山を守る」と言う。「近々、箱根の国有林から始めるので皆集まれ」と言う。こうして、月に1度の森林ボランティア活動が始まった。97年「京都議定書」が締結される時だ。

夢見たリモートワークの失敗

近江は、「損保の仕事が切られたのは何かヘマしたから」だと思い問い詰めたが、直ぐに次の仕事を紹介した。彼とは毎度、新宿のコーヒー店で待合わせた。そこで、２人の依頼人を紹介し、４人で会食した。２人は40代前半で近江と同じ年だ。

一人は、新宿でシステム会社を立ち上げた社長の玉木だ。彼は、50人まで事業を広大したが、バブル崩壊で縮小し借金を抱えたまま事業を続けていた。もう一人は、山川という玉木の新宿時代の社員だ。二人とも多摩市にある保険会社に常駐し営業店システムを開発していた。

近江は、山川の知り合いだった。「契約データベース」を再構築する人がいないと言う。「オラクルＤＢ」のプログラミングや「ＭＳ　アクセス」の経験を話したら興味を示した。ＩＢＭの大型コンピュータで使うデータベースのレイアウトを大幅に変えるプロジェクトだと言う。多摩本社でクライアントと面会し、直ぐに決まった。東京多摩モノレールが開通する頃で、玉川上水から多摩センターまでのモノレール通勤が始まった。玉木は、山川と他に契約社員２名を雇い、プロジェクトを管理していた。自分の役は、データベースの設計と移行プログラムの開発、テスト、データ移行後の整合性検証だ。山川は、データレイアウトを修正する役だ。この数が膨大なため、「ＭＳ　アクセス」でデータベースのレイアウト変更を自動化するツールを作ることになった。

山川は、玉木との仲が悪かった。新宿時代の扱われ方や報酬への不満が募り、無断欠勤が多く、勤務時間も不規則だ。だが、大学時代に数学で鍛えた思考力は抜群で、複雑なロジックを綺麗に数式で表現できる切れ者だった。パソコンに詳しく、プログラミングは強い。私が自前のノートパソコンで仕事をするのを見て、山川も自前パソコンを買い、他のメンバーも影響を受けて買った。この頃、インターネットの普及が始まり、皆がノートパソコンを買うようになった。当時、端末は自由に持ち込め仕事で使えた。

大型コンピュータのシステムをサーバーのシステムに置き換える「ダウン・サイジング」が流行った。自宅で仕事ができる環境が整った。通勤のない生活が夢でなくなった。

山川と在宅リモートワークについて話すようになり夢が膨らんだ。プロジェクトは、１年にわたり忙しい日々が続いた。リモートワークへの望みを近江に話すと、動いてくれた。データベース切り替えの本番、幾つか問題が起きたがプロジェクトは終わった。そして、山川とペアでリモートワークを始めることになった。

98年4月、山川とのリモートワークが始まった。新宿のクライアントとは週1で会議を行い、開発作業はメールと電話で進めることにした。ウインドウズ版の販売管理アプリの開発だ。「オラクルＤＢ」と「ＭＳ　アクセス」のプログラミングが続いた。当初、遂に夢見た生活に辿り着いたと思った。通勤のない生活。プライベート空間で作業時間を調整できる。集中力を高めてなるべく短時間で熟そうと努めた。ところが、順調に熟すと徐々に仕事が増え、休みなく働き続けるようになった。常駐であれば、職場を離れると意識が開放されるが、在宅だと開放されない。

この頃、トヨタが初代プリウスを発売した。世界初のハイブリッドカーだ。カーナビが標準装備されている。車内のレイアウトが新しい。携帯電話がおまけで付いてくる。試乗した。走り心地とキューンと言う始動時の音に心が奪われた。衝動に駆られ、買った。ドライブに心が奪われ、集中力が少し落ちた。山川に度々、注意されるようになった。車に乗る時間が増えた。山川の態度が次第に険悪になり、コミュニケーションに齟齬が生じ、夢のリモートワークは1年で幕を閉じた。
未熟だった。作業量を調整するマネジメントが必要だった。同じペアで長期間仕事を続けるのは難しい。心が、車に囚われた。リモートワークは、常駐以上に集中力を要するのが分かった。

初代プリウスで全国走破

国内の森林ボランティアは、箱根、富士山に加え、中伊豆、岩手県、長野県に広がり、プリウスで出かけた。「燃費が良くて環境に良い」と話すと、「遊びで車を買うなら環境に悪いだろう」と言われ、「環境技術の発展に貢献する」と言い返した。

盆には、山形に帰った。鮭川の鉄工場は、なくなった。バブル崩壊の影響で鉄筋加工の需要が減り、父は、会社を閉めた。家を葬祭業者に売却し、鉄工所も経営したい人に売却した。売却した金で天童に賃貸マンションを建て、再婚した妻と暮らしていた。家業を継いだ兄は大手の建設会社に転職し妻子を得た。帰省先は、鮭川から天童に変わった。それでも、盆には家族で鮭川の墓参りに出かけた。

リモートワークが終わり、近江との縁が切れた。彼のお陰で激変する時代を自由に過ごすことができた。思えば奇遇だ。彼との出会いがなければ、起業や保険の仕事、リモートワークの経験はない。彼は、自分の「何か」を守ってくれた。しかし、彼との関係を続ければ、先に進めない。そんな気がして別れることにした。暫く続いた生活を変えようと思い、全国走破のドライブ旅行を考えた。環境問題とインターネットの影響で世界は変化している。世界初のハイブリッドカーで日本の全てを観たい。

プリウスは、立川から北海道を目指し、東北道を北上した。仙台までは天童に帰省するために走っていたが、仙台以北は未踏だ。気仙沼漁港を眺め、平泉で休み、盛岡で食事を取り、青森に着いた。プリウスには、初のカーナビゲーションシステムが標準で付いていた。目標地点を設定すると、音声の案内が始まった。わざと地図情報にない場所を走りシステムの精度を試した。何度か地図の表示機能が誤動作を起こしたが、地図情報のある場所に戻ると回復した。精度の低い地図は、５年で更新される。おまけでもらった携帯電話を持ち、家の電話に着信転送を設定した。

これで、不在でも連絡を逃さず走り続けられる。平均燃費は17km／ℓだった。

青森の道の駅で車を止め、車内で寝た。次の日、三内丸山遺跡を見た後、函館行きのフェリーに乗った。津軽海峡を渡り、函館山に向かった。北海道は中学時代の旅行以来だ。夜の函館山に登り、中学の時を思い出した。この日は函館の道の駅で夜を過ごした。夜が明けて函館の朝市で食べ、街を歩いた。

五稜郭は、戊辰戦争決着の場所だ。ここで新選組が倒れ、明治政府ができた。ペリーが来航した1853年の翌年に日米和親条約が結ばれ、下田と函館で貿易が始まり、外国人が暮らし始めて教会が建った。異国情緒のある歴史的な街だ。

次に札幌に向かい、街をくまなく走り、降りて、歩いた。クラークの遺した「Boys Be Ambitious!」の教育は、札幌農学校で新渡戸稲造や内村鑑三、石橋湛山の中学教師である大島正健、その他、歴史に名を遺す人物を育てた。日大山形高校の校歌冒頭で「ボーイズ・ビー・アンビシャス」を復唱する。青春の傷跡を思い出した。

プリウスは、札幌から稚内に向かった。北海道の広さを感じる道がある。月と星明かりだけの真っ直ぐで平坦な道が何時間も続き景色が変わらない。日本では、ここだけだ。稚内の近くに風力発電の風車が見える。小山を登ると街明かりが見えた。街に着き、降りると風が強かった。漁港を中心に3万人ほどが暮らしている。ラーメンを食べて道の駅で寝た。夜が明けて、網走に向かい、刑務所を見学し、釧路に向かい、釧路湿原を歩いた。初めて目にする日本の風景だった。湿原に映る夕日が美し過ぎた。旭川に向かい馬の放牧を見ながら走り、三浦綾子記念文学館で降りた。原罪をテーマにした「氷点」を思い出した。富良野に向かう途中、美瑛で降りた。広大な花畑の模様に唖然とした。富良野を過ぎ、室蘭に向かった。ここで、温泉に入り車で寝た。次の日、函館から青森に戻り、日本海側を南下した。

秋田の田園地帯から男鹿半島を経由し酒田、鶴岡を下り、村上を越え、新潟で夜を過ごした。新潟の道は広く走り易かった。長岡を越えて、糸魚川に行き、翡翠《ひすい》を見た。長野から志賀高原を越え、草津に着き、温泉に入り休んだ。草津から立川に帰宅して、2週間の旅を終えた。これで北日本は走破だ。次は、南だ。

配達物を選り分け、洗濯し、2日過ごした後、再びプリウスに乗り、長崎に向けて走り出した。

高速代を節約するため、あえて一般道を走った。国道1号線に沿い神奈川を南下し、箱根を越えて三島に至り、駿河湾を眺めて静岡を越え、名古屋で降りた。

日本三大都市の一つだ。初の街を歩き名古屋城を観た。織田信長が生まれた城の跡地周辺に徳川家康が築いた城だ。天守に上げられた金鯱《きんしゃち》の姿は、これぞお城と思わせる。名古屋の夜を徘徊し、道の駅で寝た。翌日、プリウスは、三重を越えて琵琶湖に着いた。

近江八幡に行き、琵琶湖を眺めた。近江商人発祥の地だ。江戸時代から続く伝統的な建物と街並みがある。この街を歩いて近江を思い出した。彼は、この街の出身だ。親父さんが、神社仏閣の伝統的な屋根を葺く仕事を生業にしていることを話した。その仕事で「国の表彰を受けた」と言う。夕方になり、比叡山に登ることにした。この山は2度目だ。最初に就職した会社の1年目の年末年始に、中学時代の友人と京都にドライブ旅行した。この時、比叡山に登り、開山1200年記念の除夜の鐘を直に聞いた。根本中堂で鎌倉時代に活躍した名僧の本を買った。道元や親鸞、日蓮などがこの山に登り、学び、新たな教義を確立した。この時に買った本で、日本の仏教がよく分かった。根本中堂は年末年始に訪れた時と違い、静かだった。

プリウスは、琵琶湖の畔にある道の駅で夜を過ごした。翌日、朝日が映える湖面の光で目を覚まし、京都に向かった。清水寺の境内に上がり、二条城に寄り、龍安寺にある枯山水の石庭を眺めた。次に奈良に下り、東大寺で休み、大阪に向かった。道を歩くと大阪弁が聞こえた。以前、京都出身の人が、「日本の標準語は関西弁だ」と言っていたのを思い出した。確かに、江戸時代の前は大阪で政治が行われ、明治維新の前は京都に朝廷があった。今でも、東京の御所は一時のもので、正式な御所は京都とする説がある。言葉が変わると文化が変わる。関西の趣きは関東と違う。

神戸に出て阪神・淡路大震災の痕を探した。崩れた建物を見つけた。都市で大地震が起きる状況を想像した。東京で起きた場合の避難方法を考えた。建物のそばにいると危険だ。ポートアイランドを回り、明石海峡大橋を渡った。この年に開通した世界最大の吊り橋だ。鳴門海峡を渡り、初の四国に着いた。讃岐でうどんを食べ、高松の道の駅で休んだ。徳島では吉野川に車を止めて川で泳いだ。綺麗な川だった。体を乾かしてから剣山に向かった。この山には、面白い逸話がある。古代イスラエルの部族が、「失われたアーク」と言われるモーゼの十戒が刻まれた石板をシルクロード経由で日本に持ち込み、剣山に隠したという。徳島県の観光スポットになっていて、人出も多い。

剣山に登り、東祖谷山村《ひがしいややまそん》を歩いた。逸話が生まれる趣きのある場所だった。ここで星を見て休んだ。高知に抜ける山道が険しかった。細く曲がりくねっている。高知市に着いて、桂浜で降りた。坂本竜馬の銅像がある。司馬遼太郎の『竜馬がゆく』を思い出した。新政府綱領八策、海援隊約規が記念館にある。小説では、竜馬は英雄として描かれた。実際は、英国貿易商のトーマス・グラバーに、都合よく利用されたように思う。

桂浜から愛媛県の松山に向かった。松山では城を観て道後温泉に浸かった。ここで休んだ後、香川県の坂出《さかいで》から瀬戸大橋を渡り倉敷に出た。倉敷では湾岸沿いに建ち並ぶ工業地帯の景観に驚いた。夜になると水島コンビナートがＳＦ映画のシーンの如く闇夜に浮かび上がる。日本でここだけの景色だ。岡山から広島に向かう途中、ファミレスに寄った。方言のせいかガラの悪い人が多い気がした。赤信号で停まった時、後ろの車が微かにぶつかった。車から出ると相手も出てきて後部バンパーを撫でながら「何でもないヤンケ、そやろ」と言って謝るでもなく戻った。

広島に着き原爆平和記念公園で降りた。資料館を見た。ここで初めて核兵器が炸裂し、世界中で核兵器が造られた。核の抑止力で冷戦は続いたが、大戦は防げた。この一発が日本の敗戦と第二次世界大戦の終わりを決めた。アインシュタインは神か？　悪魔か？　ただの科学者か？　何故人は、こうまでせねばならぬのか。考えても分からず。広島から山口県の萩市に向かった。

萩に着き、吉田松陰歴史館に寄った。この狭い部屋で幕末に活躍する多くの志士が学んだ。高杉晋作率いる奇兵隊は、ここから遥々《はるばる》、京都まで徒歩で出兵した。移動だけでも大変な労力だ。車で走り、改めて当時の人々の行動力に敬服した。ここから憧れの九州に向かう。下関から関門トンネルに入り、長い海底から上がると北九州市に出た。直ぐに、爆音を鳴らすバイク集団と遭遇した。多い。北九州を過ぎると静かになった。博多に着いて降り、中洲の屋台でラーメンを食べ、近くの道の駅で休んだ。

プリウスは、福岡から佐賀を通り、長崎に向かった。諫早《いさはや》に着き、当時話題となった湾の干拓地を見ることにした。潮受け堤防の水門が閉じられていた。海と別れた水は淡水化することで農業用水となり、冠水被害を抑えることができる。一方、漁業被害がでるという反対意見があり争った。湾岸の堤防を走った時、アスファルトの切れ目にタイヤがはまりパンクした。スペアタイヤをトランクから取り出し、簡易ジャッキで車体を浮かしてタイヤを替えた。スペアタイヤは固く、バランスの悪い走りで東京まで戻ることになった。

長崎に着き、グラバー園に行き、坂本竜馬が武器を取引する姿を想像した。大浦天主堂のミサに参加した。長崎原爆資料館に寄り、浦上地域を歩いた。長崎から海沿いを走り、熊本、鹿児島、宮崎、大分と周り本州に戻った。帰りは、日本海側を北上した。島根、鳥取を走り、京都から福井に抜けた。この時、地方の衰退を強く感じた。シャッター街と寂れた町が多かった。

福井から金沢に向かう途中、「北朝鮮がテポドン1号というミサイルを日本海に向けて発射した」とラジオから聞こえた。「2発発射し、1発は、日本海に落ち、2発目は日本列島を超えて太平洋に落ちた」と言う。旧ソビエト連邦が崩壊しベルリンの壁が壊れた時、北朝鮮も直ぐに終わると思った。独裁的な恐怖政治で国の体制を維持していると言われる。だが、2千万人以上が暮らす国だ。皆が反対であれば、長期間続かないと思う。半分以上の国民は、独裁体制が好きなのではないか。指導者の洗脳を、あえて受入れているのでないか。楽だからだ。自由は努力を求む。考え、判断する責任が課される。独裁であれば、責任が減る。全ては将軍様の責任だ。韓国のようになれば、血眼《ちまなこ》の競争に晒され、一部の成功者とて、妬みと批判に耐えながら生きねばならぬ。多少の貧しさに耐えれば、韓国より生きるのが楽なのかも知れない。だから、本格的な蜂起が起こらないのではないか。

金沢に着き、兼六園を観た。観光資源のある街は豊かだ。地方の発展は、観光資源がものを言う。富山では黒部渓谷を眺めた。「山と緑の協力隊」が長野県の木曽で行われることになり、富山から向かった。杉や檜《ひのき》の大木が生える木曽の山に、20人ほどで分け入り間伐する。木曽の木は見事だ。巨木が聳える森の中にいると「フィトンチッド（樹木などが発散する化学物質）」の森林浴効果を感じる。夜は山小屋で団欒し、桂浜で買った焼酎竜馬を飲み交わし、全国走破の経過を語った。帰路は、長野から甲府に至り、武田信玄を見て青梅街道に入り、奥多摩を越えて立川に着いた。これで、沖縄を除く全都道府県を走破し、小さな冒険が終わった。沖縄は、何れレンタカーで走ろうと思った。

しばし旅の余韻に浸り、春に見た日本の姿を楽しんだ。日本は広い。そして、美しい。戦後、数十年の間に国土の隅々までアスファルトの路を延ばし、トンネルを掘り、橋を架けた。自分は、完成した国土の上を世界初の車で走り抜けたのだ。素晴らしい恵みだ。時間の余裕と心の自由、インフラ建設に投ぜられた膨大な労力、そして高度な技術の賜物だ。

世の中は以前と異なる変化を始めた。自動車会社は、スピードや馬力、或いは、スタイルを誇る車ではなく、モーターで動く車を作り始めた。人々は、ボランティアに生きがいを感じ始めた。インターネットが普及し、リモートワークが可能になった。

北朝鮮がミサイルを作り発射実験を始めた。李登輝氏が選挙で台湾総統となり中国共産党との闘いを始め、台湾海峡で軍事衝突の緊張を招いた。彼は、中国共産党を批判し、日本の武士道を称える。戦時中、京都大学で学び、学徒出陣で日本兵として出征した。中国軍がミサイルを台湾海峡に発射した騒動で、初めてこの政治家に注目した。彼は、戦前の日本人を褒める。そして、韓国や中国の反日と米国への行き過ぎた追従を戒める。この人は、誰よりも日本を分かっている人ではないかと思うようになった。金融ビッグバンが始まり、グローバルという言葉が使われ始めた。多くの製造業者が中国に生産拠点を移した。次の時代が到来する予感がした。

珈琲館で寛いでいると、そばに求人雑誌が置いてあった。目を通すとシステムエンジニアの募集広告が目に入った。

合併、合併、又合併の金融再編

フリーランスを対象にするエージェントビジネスが増えた。特定労働者派遣業だ。バブル崩壊後に急拡大した。派遣は、嘗《かつ》て、「手配師」や「口入れ」と呼ばれた稼業だ。86年に今の派遣法が施行され、航空業界で採用が始まり、通訳や添乗員が有期契約で働くようになり、技術者に広がった。

90年代に入り、バブル崩壊でリストラが増え、ＩＴの普及でソフト技術者の需要が高まり、派遣は急拡大した。働く側には、「会社組織で不本意な仕事をすることなく専門的な技術だけで生きていける」と宣伝する。雇う側には、「人件費を固定費から変動費に変え即戦力が得られる」と宣伝する。買い手から得る売り上げと働き手に支払う額との差額マージンが収益だ。拡大した業者は、近江のような個人で営む人材紹介業と違い、組織的な全国営業だ。

応募したら、信託銀行の合併案件に参画することになった。社員と業務委託の何れが希望か聞かれた。社員で月給25万円、委任契約で単価60万円だった。業務委託にした。仕事が切れた時の無給リスクはあるが、組織の縛りは避けられる。合併は、96年に国会で決まった金融ビックバンの影響だ。97年にバブル崩壊の煽りで北海道拓殖銀行が破綻し、98年に北海道の営業と本州の営業を分けて他行に譲渡することが決まった。そして、システム統合の技術者が集められた。自由で、透明で、国際的な金融市場に変える改革の始まりだ。

日本長期信用銀行と日本債券信用銀行で悪質な粉飾決算が行われ、2兆円とも、3兆円とも言われる負債を残して破産した。そこに、公的資金が注入されてマスコミが騒いだ。リップルウッドがハゲタカファンドと呼ばれ、破綻した銀行を安値で買った。冷戦が終わり、世界中の通貨と証券を自由に売買できるようになった。地球は単一金融市場と化し、米ドルに自国通貨を連動させていたアジア諸国で通貨危機が起きた。大量のドルを急に売り出し、ドル相場が底値まで落ちた時にアジア通貨で買い戻す、即ち、空売りが可能となった。ヘッジファンドと呼ばれる投資集団が空売りを仕掛け、高くなったアジア通貨を売り巨大な利益を得る中、タイ、インドネシア、韓国が国債の債務不履行に陥り、IMF（国際通貨基金）の管理下に置かれた。

日本は、アジア通貨危機の煽りを受け、回復しつつあった経済が再びマイナスに転じ、以後、長期にわたりデフレーションが続くことになる。金融市場がグルーバル化する中、日本政府は、金融緩和により金融機関の合併を促し、国内金融業の財務体質を強化して、国際的な競争力を高める方針を打ち出した。

信託銀行のシステムセンターは、調布にあった。玉川上水からモノレールに乗り、多摩センターで京王線に乗り換えて調布に通う生活が始まった。融資チームに配属された。大部屋にチームごとの島が並び、各島で銀行員を上座として協力会社のメンバーが下に付いた。

融資チームは当初、10名で始まり、北海道拓殖銀行のシステムを調べ、当行との違いを洗い出した。システムを当行に片寄せするか、併存運用するかの見極めが最初の課題だ。住宅ローンや法人向け融資の取引内容と数を調べ、商品の特性を調べた。融資業務は、申込みの受付から始まり、審査、契約、実行、定期返済、繰り上げ返済、督促、返済予定表の送付、完済処理だ。融資金額と適用金利を入れて、変動金利か固定金利を選び、返済期間と返済額をシステムで計算する。大部屋の中にテスト端末があり、あらゆる種類の取引データを仕込み、処理結果を検証した。検証が終わる頃、別の信託銀行が合併に加わることになった。これで、システム統合は、併存運用に向けて進めることになる。社名を改め、互いのシステムに取扱商品を同じにする変更を入れる。運用は変えない。設計を始めて1年過ぎ、2000年にプレスリリースされた。すると、システム統合の方針が、併存から片寄せに変わった。1年の作業が無駄となり、移行作業が始まった。

作業場所が調布から目黒に変わり、玉川上水で西武新宿線に乗り、新宿で山の手線に乗り換えて目黒に通う生活が始まり、データ項目を突き合わせる作業が続いた。金融ビックバン以降、初の大規模合併となり、報道され注目を集めた。金融庁検査のための資料準備で作業が増えた。

この頃、ＩＴバブルだった。米国でネット企業の株価が高騰し、日本のネット企業が芽吹いた。ヤフー、楽天、まぐクリックなどがベンチャーの成功者となった。ＩＴ業界全体が人手不足になり、融資チームは、人手に困った。そこに、新たなプロジェクトマネジャーが入った。五つ年上の彼は、プロジェクトマネジメントの大切さを語った。それまでに聞いたことはあったが、意識する機会はなかった。工程表を作り、進捗を報告する仕事だと思っていた。彼は、「才能が要る、プロジェクトはマネジメントで決まる」と言う。多くのＩＴプロジェクトが失敗していると言う。この度のプロジェクトは成功か否か？　合併は、計画ではなく必要に迫られた結果だ。予定日に終われば成功ではないか。マネジメントで何が良くなるのか。この時、それ以上考えなかったが、この頃プロジェクトマネジメントの標準化が世界的に進んでいた。01年3月、プロジェクトは無事にデータを移行し、去ることになった。エージェントは、次の銀行合併を用意していた。

01年4月、放送大学に入学した。ドライブ中にラジオ授業を聞くようになり、興味が湧き、スカパーアンテナを団地に付けてテレビ授業を見るようになった。01年に『イノベーション経営』の科目が追加された。哲学の講義で、プラトン、カント、ニーチェ、ハイデッガーが語られ聞き入った。政治や経済の科目がある。文学、宗教、環境がある。読書を重ねていたが、学ではない。所詮、趣味の知識だ。自分が考えていたことは正しいのか気になった。専門学校の単位が認められて2年で大卒の資格が得られる。大学の図書館とメディア教材を使える。入学前に政治学と金融論の教科書を購入し内容を確かめた。時代に即したドンピシャの内容だった。これまでの疑問が解かれ、考えていた以上の発見がある。好きな科目を自由に選べるのが良い。本質的で無駄がない。放送しているので誤魔化しが利かない。だから、信用できる。これが学問なのか。素晴らしい。何故、今まで知らなかったのだ。10年は無駄に生きた気がする。高校の時にこれを知っていれば、悩まずに済んだ。善悪を知る木の実だ。「貪り尽くしたい」と思った。

単位の取得は、ボチボチと思い入学を決め、「文京学習センター」の入学式に出た。だが、教員は尖っていた。

「あなた方、無理なく勉強しようと思ったら卒業しないよ。どこまでも広く、どこまでも深く、徹底的に追究しなさい。あなた方は学生なんだから！」

これで、生涯学習のイメージが変わった。図星だった。学習センターに通い、気になる科目のテキストを調べ、ビデオを観た。2年で卒業するには、1学期半年間で8科目の単位取得が必要だ。語学の6単位と保健体育の2単位も要る。初学期9科目を登録し、9冊の教科書が届いた。これで腹を決めた。

次のプロジェクトは、都市銀行2行の合併で、法人向けオンラインバンキングの改修だった。日本橋のオフィスで大柄のリーダーが50人のチームを率いていた。この頃、プロレスラーのような大男のプロジェクトマネジャーが求められた。景気のいい時に大型プロジェクトが乱立すると、人集めが難しくなりスキルの低い人を多く採用することになる。デキない、やる気のない人を入れると、予定通り進まない。だが、銀行は、何としても期限内に合併を終えねばならず、集めた人を酷使して責任を果たさねばならぬ。だが、銀行員は、汚れ役はしない。人の扱いで問題になるのを避けるため、協力会社に汚れ役を強いる。協力会社のリーダーは、嫌とは言えない。リーダーは暴力こそ振るわないが、明らかに威嚇的で凶暴で恫喝的だった。50人ほどのメンバーは怯えながら働いていた。5分の遅刻で罵倒され、吊るし上げられ、見せしめにされた。銀行の期待に応える忠実なリーダーだった。

このプロジェクトに参画して間もなく、大量の電文修正を熟すと、リーダーに見込まれた。仕事は、早い人に集まる。仕事を真面目に早く捌くほど、仕事が増えた。だが、放送大学の試験日は休まねばならぬ。「試験日は休む」と宣言した。するとリーダーは、「放送大学を止めろ」と言う。学問の自由の侵害ではないか。リーダーは、他のメンバーが真似るのを心配した。「話が違う」と怒鳴った。エージェントには、「試験日に休む」と言っていた。「止めねば首だぞ」と言い返してきた。「訴える」と指をさし、エージェントに電話した。「話が違う」と言うと、エージェントは直ぐに駆け付け、「あんなのも偶《たま》にいるんで気にしないで下さい。次があるので宜しくお願いします」と言い、３ヶ月で都市銀行の合併を去ることになった。

次も、合併だった。消費者金融2社のデータを移す。片寄せのデータ移行プログラムを作る。大手町のオフィスに多くのベンダーが常駐していたが、皆が不機嫌な顔をしていた。プログラミングの仕事は、３ヶ月で終わった。次は、メガ損保の合併だ。オフィスは立川にあり、徒歩で通えた。両社の保険料率が異なる箇所のプログラムを調べ、同じになるように直した。試験日に休むと感心する人もいたが、「こっちは情報処理試験で縛られているのにいい身分だ」と嫌味を言う人もいた。

損保の合併プロジェクトは1年で終わり、放送大学は1年半が過ぎた。最初の上期で9科目受けて3科目落として焦った。追試は1度限り。落とせば1科目につき1万円失う。下期に8科目と追試3科目を取りホッとした。

2年目に小平で「多摩学習センター」が開設され籍を移した。「一橋大学の国際キャンパス」内にある。新しい校舎でサークルを作ることにした。一人でペースを維持するのは難しい。『多摩学友会』と命名し、大学に申請して認められ、メンバー募集の案内を貼り仲間を集めた。2年目上期は8科目取り、下期で卒業が見えた。

02年10月、信託銀行の目黒にあるオフィスに再び通うことになった。投資信託のシステムを国際会計基準に合わせる改修だった。システムをサーバーの新システムに移す。「オラクルDB」の設計が進んでいた。国際会計基準の説明を受けた。現金が動く時に売上計上する現金主義から、契約が発生した時に売上計上するように会計処理を変える。処理を調べ、データ移行プログラムを作った。この頃、ITバブルが崩壊し、景気が落ちた。乱立した合併プロジェクトが収束し、多くの技術者が職を失った。

仕事が不安になった。専門的な強みがなく、仕事が減れば、直ちに職を失う身の上だ。続いたとしても先は細い。チームメンバーに林試の森公園での昼食に誘われた。オフィスに食堂はあるが、天気の良い日は公園で食べていた。ユニクロのフリースが流行り、チームメンバーは、皆がフリースを着ていた。ジャケットを着ている自分が野暮に見えた。彼は、修士院生時代のことをよく話した。ＩＴ専攻の彼は、プログラムを作るプログラムを研究し、「Ｃ言語」のプログラミングに没頭したらしい。それが、「ここでは役に立たない」と零《こぼ》した。「理系学生の半分が大学院に進む」と言う。理由は、「働くのを延期するため」だと言う。「留学した方が良い。だが、英語のデキない人が多い。日本の修士は読めればよし。書くのは博士から。チームメンバーに英語のデキル女子がいる。ＴＯＥＩＣが満点」だと言う。「ＴＯＥＩＣとは何か」と聞くと、「聞く、読む英語の検定試験」だと言う。「変な会話が流れて、４択で答える。俺は全然駄目だ」と言う。英語がデキル女子と飲み会で話した。彼女は英語だけでなく、ロシア語やフランス語もデキル才女だった。「ドイツ語が難しかった」と話すと、「ロシア語はもっと難しい」と制され、中国語で練習する四声の話をすると、「あれ見てると笑える」と見下した。マウントを取るタイプだ。試しにＴＯＥＩＣのテキストを買い、付属のＣＤを聞いた。断片的なシーンの会話がランダムに流れる４択試験だ。聞くのも大変だが、つまらない勉強で、受けたいとは思わなかった。放送大学の語学は、ドイツ語と中国語で充足していたが、これを機に英語も取った。

みずほ銀行が合併後のシステム稼働で障害を起こし、話題になった。金融ビックバン以降、多くの金融機関が合併し新会社ができた。合併しても古い組織は変わらない。組織には固有の文化、権限、人間関係が絡みつき、プロジェクトでも様々な溝ができる。みずほ銀行は、この後も併存する巨大システムの尾を長く引いた。他国に比べ、日本のシステムは品質が高いと言われる。銀行のシステムで障害が起こると世の人は騒ぐが、ソフトは常に障害リスクを孕む。80％の品質で納めるのと99％に高めるのではコストが倍以上変わる。日本のシステムは、99％を求めた。結果、通帳繰り越しなどのきめ細かな機能は世界一だ。だが、新技術への移行は遅れた。

合併プロジェクトを繰り返す間、01年に小泉政権が発足し、竹中平蔵氏が経済財政政策担当大臣となり、「新自由主義」なる言葉が使われ民営化が進んだ。国境を越える金融再編が増え、金融のグローバル化が進んだ。カルロス・ゴーン氏が日産の社長に就任し、改革を行い、英雄と化した。「e-Japan構想」が始まり、「IT革命」の言葉が流行った。中国への海外直接投資が増え、新たな大国が育った。欧州通貨ユーロが生まれ、基軸通貨が増えた。ブッシュ政権が生まれて01年9月11日に米国同時多発テロが起き、緊張が高まった。世界は一つになり、ITで経済が成長し、世界の富が増え、グローバルで得る者と失う者の格差が広がった。

学ぶ喜びを知った放送大学

放送大学は、83年に生涯学習の目的で政府が設置した通信制の大学だ。旧文部省が、英国の公開大学をモデルにラジオとテレビで授業を放送し、単位認定試験で学位を認める制度を設けた。03年の放送大学学園法で文部科学省と総務省が所管する特殊法人となった。教養学部が6コース、02年開始の修士課程が7プログラム、14年開始の博士課程が5プログラムある。大学は、「手軽で、自由で、経済的」な利点を宣伝し、約9万人が在籍する。学習センターが、全国にある。

明治維新の後、政府は指導者を育てるために帝国大学を設けた。富国強兵、殖産興業のためには強い官僚組織が必要だ。帝国大学で官僚と学者を育て、近代化を進めた。以後、独自の理念を掲げる私学が多数生まれ、大学で学ぶ人が増えた。戦後は、学歴が一生を左右する重要な条件となり、大学入試の難易度による人の評価が定着した。これで、親の学費負担が増えた。子供を学習塾に通わせ、大学生活を賄った。だが、少子化が進むと定員割れの大学が出始め、入試の意味が薄れた。

コロナ禍で多くの授業がオンラインに変わった。医者、公務員、教員、法律家などの資格を要する仕事以外、「多額の費用を要する大学教育に何の意味があるのか」考える時がきた。学歴不要の資格でスキルは示せる。市民図書館に行けば本は無料で読める。パソコンがあれば情報は得られる。電子出版で本は書ける。

教養学部の専門コースは、「人間の探求」を選んだ。最初は、仕事と思い「産業と技術」と考えたが、本棚を見ると人文社会学の古典が多い。本を読み、考えたことを整理するために「人間の探求」にした。初年度上期、『立憲主義と日本国憲法』、『宗教への招待』、『共生の時代を生きる』、『障害者福祉』、『設計学』、『現代の哲学』を受けた。何れの科目も体系的、本質的、現代的な論説だ。短い言葉に深い洞察が感じられた。この時、初めて学問に触れた思いがした。高校の授業のように先ずは覚える、決まった通り答える勉強ではない。専門学校のような技能でもない。判断基準になる知恵だ。難易度の問題ではない。思考の根拠になる普遍的な理論であり、価値観に関わる問題だ。歴史的な背景と現状の課題から説明される。教授は、膨大な資料の読み込みと研究活動を経て教科書にまとめている。放送授業は全てメディア化され自由に視て、聴ける。面白かった。読書では、得られない喜びだ。

学問は、「善悪を知る木の実」だ。疑問が解決し、見えるようになる。何故、憲法改正で世の中はもめるのかハッキリ分かった。設計は、帰納、演繹《えんえき》、仮説形成の類推思考で成り立つ。哲学は、古代ギリシャから始まり、カントを経て、実存主義に至る。自分が悩んだことの全ては、古の天才が何千年も前から、とてつもない労力をかけて考えていたことが分かり安心した。宗教についても、現代社会における重要な課題であり、多くの学者が賢明に研究しているのであり、自分の考えの浅はかさに気付いた。障害を如何に考えるべきか、共生の時代とは、様々な疑問に合点の行く答えがあった。自分が悩むことには、既に何がしかの回答がある。この知恵の塊を吸収すれば、一足飛びに膨大な知識を得ることができる。初めて学ぶ喜びを知った。

2年目に『多摩学友会』を始めると、募集案内を見て最初5人集まり、徐々に増え20人まで増えた。空き教室を使い、月1のペースで勉強している科目の内容と試験の難しさや結果について話した。ビジネスマン、近所の主婦、退職シニア、音楽家、教員、高校生など様々な人が受講科目の感想を言い、生活への不満を話した。

東北大学を退職した教授が参加するようになると会は盛り上がった。物理の学者で、原発研究のために長く暮らしたフランスの思い出を語り、日本の学生の問題を話した。『家族論』の科目で離婚がテーマになると、慰謝料の金額に焦点が集まり、真剣な議論が交わされた。『保健体育』は、やせる方法で盛り上がる。『逸脱の社会学』では、犯罪件数の減少が分かり、『高齢者福祉』では老害のメカニズムが分かる。『金融論』、『現代経済学』、『国際政治』でグローバルな変化が分かる。『ヨーロッパと近代世界』、『アメリカの歴史』、『イスラームの歴史』で時の移り変わりが分かり、未来を考えるのに役立つ。『朝鮮の歴史と社会』で朝鮮半島問題の核心が分かる。『文化人類学』で民族が分かる。『宗教の哲学』によれば、宗教は苦の救済だ。『発達心理学』で教育の問題が見え、教員が現場の実態を語る。『ギリシャ哲学』は、くじ引きで公務を任期で務めたことを話すと、日本の公務員も任期制にすればいいとなる。放送大学ならではの、学問と生活を融合した会話ができた。

卒業が見えた2年目の下期は8科目登録した。予め教材を調べ、確実に取れそうな科目を選んだ。最短、最小コストで卒業したい。『イノベーション経営』、『仏教思想』、『中国明清時代の文学』、

『言語学』、『メディア論』、『イメージの歴史』、『自己を見つめる』、『19世紀日本の歴史』を選んだ。『19世紀日本の歴史』は、教科書は薄く難しいと思わなかった。論述試験で解答できたと思った。だが、これだけ落とした。幕末史の問題だ。何故、薩長は「神権天皇制」にしたのか。徳川幕府を近代化し、共和制にすることもできた筈だ。江戸時代、朝廷は京都にあり、天皇は象徴だった。答えに、「英国を真似た」と書いた。これで、最短の卒業を逃した。

卒業は、半年延びた。2つの面接授業、『西洋音楽研究』と『ヨーロッパ史の見方』を受けた。モーツアルトの「魔笛」とEU統合の講義で卒業が決まった。

森林ボランティアから英国留学

2000年7月、箱根で新しい活動を始めると言うので「地球緑化センター」から招かれた。芦ノ湖畔にある営林署の作業小屋を使い活動拠点にすると言う。20年以上使われていない小屋を整備して鎌やナタ、ヘルメットなどの道具を置き、着替えや食事で使う。現場に近く、集合場所に使える。だが、掃除して襖や壁、畳などを修理しないと使えない。結構な労力が要る。それでも、20人ほどのボランティアが集り、改修が始まった。

ソニー、東芝、オムロン、元国際線パイロット、テレビCM制作者、郵便局員、市役所職員、銀行員、造園業、建設業、などの個人が集まり、手書きの設計図に改修案を描き、床の穴を塞ぎ、畳を裏返し、襖を張り替え、ガス、水道、電気を開通し、汲み取りトイレを掃除して庭に丸太のベンチを作り据えた。小屋を「山緑の家」と命名し、開所式を行いバーベキューで祝した。そこで森林活動の方針を話し、ボランティアが自主的に計画して進めることになった。既に、近くの国有林で風倒木被害が起こり、再生の活動は始めていたが事務局主催の活動だった。自主活動グループを立ち上げることになり、有志でグループ名を『箱根KIKORI』と命名した。そして、活動理念や方針、計画を考え、第1回の活動を催した。活動は、山仕事と交流イベントを交ぜることにし、初回は芋煮会と古道の散策で楽しんだ。これ以来、月に1度の定例となり、箱根に通うことになった。

『箱根KIKORI』は、01年4月から正式に山仕事に入ることになり、会の代表を選ぶことにした。会合は、姥子《うばこ》にある露天風呂付の保養所を使うのが習わしで、ここで自分が推されて受けた。この時、三菱商事OBの永山氏と偶然出会った。既に役職を退き経済同友会の活動をしていた。米国での暮らしが長く、カナダ法人やドイツ法人の代表も務めている。これ以降、定期的に参加するようになり、車でよく話した。

活動の日は、小田原から車に乗り合いで「山緑の家」に集合した。乗り合いに平塚郵便局の人がいて、郵政民営化を進める小泉首相を引き合いに、「神奈川に大物政治家は要らない」と言うと、永山氏は、「竹中平蔵のお陰で小泉もまともになった」と民営化を褒めた。みずほ銀行の人がカルロス・ゴーン氏を褒め、「日産に勤める娘が、『待遇を落とさないで変革した』」と言う。人々は、移り行く世の定めを感じていた。

米国同時多発テロが起きた翌日の活動に、元国際線パイロットの人が参加したので、「操縦未経験のテロリストがハイジャックでビルに当たれるものか」と尋ねると、「テキサスで安価に免許を取れる訓練場がある」と言う。9月11日は、国際政治の流れが変わった日となった。

活動を重ねるうちに、永山氏は留学を勧めるようになった。放送大学の勉強を話し、大学院も考えていることを話すと、「NHK大学院は無駄だ。それだけやる気があるなら留学しろ。もったいない」と言う。02年から大学院が始まり、学部の次は院だと思い、科目履修していた。『総合人間学』と『情報化社会研究』を登録し、試験の手ごたえを見るつもりでいた。目的はなく、勉強が面白くなり、続けたいと思っただけだ。永山氏は、三菱商事時代にハーバード大学ビジネススクールで履修した経験があり、欧米の大学と日本の大学の違いを話した。「日本の大卒は、大卒の値打ちがない」と役職時代を思い出して愚痴を零《こぼ》した。子供が3人いて2人がMBAコースで学び、米国と豪州で暮らしていた。「ビジネス・ウィーク」と言う英語の週刊誌を郵送してくれた。MBA特集で、有名校の学費や卒業後の収入、コミュニティなどの情報が詳しく書かれていた。最初は、真に受けなかった。シニアの戯言だと思った。

03年を迎え、土曜日に放送大学で財布をなくした。事務局に聞いても届けはなく、探しても見つからなかった。家の鍵が入っていたのでドアを開けられず、3階ドア向かいの人にベランダに出してもらい、柵を超えて自宅のベランダに下り、車の工具箱にあるモンキーレンチで台所のガラス窓を割り入った。現金が全くなく、消費者金融で初めて金を借りた。ATMの電話で審査を受けている時に職場を聞かれ、銀行の電話番号を伝えると、電話されて承認がとれた。リーダーが休日出勤していて、応じてくれた。銀行に出向いて不正取引の有無や残高を確認した。不正取引はなく、残高は700万円あった。株の売買で200万円増えていた。意外にあるのに気付いた。間もなくイラク戦争が始まり、日本の景気は一気に冷えた。6月に仕事が切れるのが決まったが、次の見込みは立たない。それで留学を考え始めた。

ヤフーで英語圏のMBAコースを検索し、リストを作り、予算と入学条件を並べた。米国のハーバード大学やスタンフォード大学、英国のオックスフォード大学やケンブリッジ大学の学費を見て驚いた。1年間の学費だけで800万円以上する。米国は2年制だ。論外と思い、英国の通信制大学、公開大学で生活をサポートする制度があるかメールで問い合わせた。「なし」との返事がきた。学費と生活費、旅費、全て込み500万円以下で絞った。問題は、英語のスコアだ。米国はTOEFL、英国はIELTSのスコア条件が付く。1年間英語の勉強をすると、本コース1年の英国だ。スコットランドのダンディーにあるアバテイ大学が良さそうだ。世界で初めてビデオゲーム学部を設けたことを宣伝している。宿泊施設の費用が安い。ネットの写真で見ると綺麗だ。国立大学で観光地が多い場所にある。日本人学生はいない。留学すれば初の日本人となる。

6月に仕事が切れ、腹を決めた。願書には学歴の証明書が必要だ。高校と専門学校に問い合わせ、英文の卒業証明書を集めた。大学の推薦状を作り「多摩学習センター」の所長にサインをもらい、就業証明書を作りエージェントの横浜支社長にサインをもらった。ホームページから願書の用紙をダウンロードし、英語で願書を書いた。卒業証明書と就業証明書、それに銀行で発行した英文の残高証明書を付けた。願書に社会活動欄があり、趣味やコミュニティ活動の証書を付けることになっていた。「地球緑化センターの活動履歴」、「合気道の有段者証」、「昭島教会の受洗記念」を願書に付けた。

大学に電話し、送付方法は郵送かファックスか訊ねると、「両方」と言うので20枚の願書をファックスで送り、郵便局に出向き海外レターパックに入れてスコットランドに送った。1ヶ月経ち、オファーレターが届いた。「10月1日9時にオールド・コレッジの210号室に来い」と書いてある。

大量の本を「ブックオフ」で売り、部屋の物を捨てた。専門学校の友に話すと子供連れで挨拶にきて、「結婚式のお返し」と言い3万円くれた。プリウスを中古車ショップで売却した。70万円だった。これを持ってJTBに行き、旅券とホテルを予約した。成田―ヒースロー間1年間有効往復チケットが12万円だ。「アシアナ航空は、安い」と思った。銀行に行き、200万円をトラベラーズ・チェックに替えた。立川市役所で住民票の海外転出届を出し、『地球の歩き方 スコットランド』を買い、準備が整うと「地球緑化センター」から送別会の連絡を受けた。9月末に放送大学の卒業式が終わると、『多摩学友会』の皆が茶菓で送別会を開いてくれた。その足で昭島教会に行き、留学することを告げた。夜は、東京駅の宴会場で送別会があり、30人から送る言葉をもらった。永山氏は、「僕は、腐った人間なんぼでも見てきた。この人には、人類のために勉強して来て欲しい」と言ってくれた。フライト前日、父が成田空港近くのホテルを予約したと言うので一緒に泊まり、当日、早朝のフライトに向かうと、『箱根ＫＩＫＯＲＩ』の３人が見送りに来ていた。写真を撮り、４人に見送られてゲートに入った。

第5章　英国留学

欧州は単位互換制度で留学

12時間の飛行を経て、機内の窓からロンドンの夜景が見えた。赤レンガの建物が立ち並び、オレンジ色に包まれている。初めて見るロンドンだ。ヒースロー空港に着き、入国審査に向かった。女性審査官に入国目的を聞かれ「スタディ」と答え、大学から送られたオファーレターを見せた。「何故、この大学に入学するのか」と訊ねて不思議そうに首を傾げた。「キャリア開発」と答えた。それでも怪しまれ、「留学の金を見せろ」と言う。リュックからトラベラーズ・チェックの束を出して見せた。本物か全札めくり確認すると溜息をついて入国を認めた。ヒースロー空港でエディンバラ行きの「ブリティッシュ・エアウェイズ」に乗り換える時、行き先ゲートが分からず、通りすがりの2人のパイロットに搭乗券を見せて聞いた。教えてくれたが、発音が可笑しかったようで笑いながら去った。

エディンバラ空港に着き、バスで中心街にある「オールド・ウェイバリー・ホテル」に向かった。ウェイバリー駅前で降り、地図を頼りに歩き夜11時に辿り着いた。街は暗かった。ロビーで鍵を受け取り、5階の部屋に入ると英国の調度品があった。建物の裏で若いグループが騒いでいた。夜が明け、朝食を取りに2階のダイニングに下りた。大きなガラス窓にエディンバラ城と城下町が輝いていた。何百年も風雨に晒され黒ずんだ石造りの街には威厳がある。ゴツゴツの岩山の周りに尖塔が突き出た石造りの建物が並ぶ。写真で見たスコットランドの姿だった。朝食を終え、城から下る坂道のロイヤルマイルを歩いた。古く華やかな街だ。駅前のバス停でダンディーに行くバスを聞いて乗った。

2階建てバスは石造りの街並みを通り、羊の放牧地を横切り、幾つもの古城を過ぎ、北海の入り江に流れるテイ川の畔を走り、ダンディーのバス停に着いた。『地球の歩き方』を持ち、「ディスカバリー・ポイント」を目指した。「RRSディスカバリー号」がある。1901年、この街で世界初の南極探査用に作られ、3度の南極航海を経て軍用船になり、第二次世界大戦の後に他国に売却され、1993年に返還されて水上展示されている。ここからは、地図が見易い。大学の位置が直ぐに分かった。

休日だったので学生は少ない。受付で「日本から来た留学生の渡部だ」と伝えた。大学からきたメールに、「受付で寮の鍵を受け取れ」と書いてある。男性スタッフにオファーレターを見せると、部屋の鍵を渡し寮までの歩き方をメモに書いてくれた。寮は、徒歩5分ほどの道路に面した石造り5階建ての建物だった。大きなスーツケースを転がして入口に辿り着き、ベルを鳴らすと、インド人の学生が現れ、「どこから」と聞かれ、「東京ジャパン」と答えた。すると彼は微笑み、荷物を部屋まで運んでくれた。3階の部屋は12畳ほどの広さで、天井が高いのに驚いた。天井には、ゴシックの彫り模様がある。一人用のベッドの上に羽毛の布団があった。木のクローゼットが一つと、ライトの付いた机と椅子が縦長窓の下にある。窓には石造りの街並みが広がり、十字架の付いた教会の尖塔が幾つも見えた。建物は「ヴィクトリア・チェンバース」という名で、250年前に建ち、暫く放置されていたらしい。93年にアバテイ大学が高専から大学に昇格した時、大学が買い取り、海外留学生を迎えるためにリノベーションした。

キッチンと冷蔵庫、シャワーとトイレは共用だ。この時、初めてオール電化のキッチンを見た。最初、英国は設備事情が悪くてガスが使えないのかと思ったが、そうではなく安全対策だった。各部屋は個室だが、シャワーとトイレは男女共用だ。男女の区別なく、同じ建物で暮らす。英国では、ホテルを含め、蛇口からお湯が水と同じ勢いで出るところは少ない。ここも、お湯はチョロチョロだ。3階は欧州の学生が多かった。特にフランス人学生が多い。夫婦か恋人か知らないが、カップルで暮らす者もいる。英国の大学は、夫婦子供連れで留学する人も多い。

階ごとに共有部屋が一つある。好きに集まり、自由に使える。タバコ部屋になり、ここで知り合いや仲間ができる。公衆電話から父に電話した。携帯電話に通じるのが分かった。街を歩いた。「テスコ」と言うスーパーマーケットがある。街中にある店は夜9時で閉まる。少し離れたところに24時間の店がある。街の真ん中に「セント・メリーズ教会」があり、尖塔の「オールド・スティープル」が聳える。これを囲むようにショッピングセンターが並び、道路が縦横に敷かれている。「マクマヌス・ギャラリー」がハリー・ポッターのホグワーツ魔法魔術学校のようなデザインで教会の裏に建つ。

この街はテイ川の畔に広がり、対岸に渡るために鉄道橋と車橋が架かる。川を背に街を眺めると、「ダンディーの丘」という小高い山が背後に見える。この街は、スコットランド第4の都市。19世紀から20世紀前半にジュートという麻の繊維生産で栄え、ピーク時はスコットランドで最も豊かな街だった、その後、繊維産業が衰退し、街は長く寂れた。１９９０年代に『グッパイ・タータン』をスローガンに繊維産業と別れ、観光と金融業を起こして変革を遂げた。英国でも稀な町おこしの成功例だ。

寮生活が始まり、フランス人とキッチンを使う際に会話で困った。「缶切り」を何と言おうか？

冷蔵庫がアイスクリームで埋まっていて、「スペースを空けて欲しい」を何と言おうか？　フランス人が話す英語が分からず、何度も聞き返した。メールが使えるようになり、日本のみんなに到着を伝えると、『多摩学友会』の方から沢山の手紙が届いた。手紙が、廊下を通るヒータの上に置いてあり、フランス人から手紙が届いていることを聞いて取りに行った。最初、何を言っているか分からず、フランス人も面倒になり、「来い」と言い、ついて行ったら手紙だった。

手紙は、全て返信した。手紙のやり取りは1年続いた。子供の留学に感心があるようで、留学事情を根掘り葉掘り聞かれた。『箱根ＫＩＫＯＲＩ』や昭島教会の人からも手紙が届いた。

日本語のない生活が始まり、最初に頼りにしたのは放送大学の英語教科書だ。『Voices from Britain』というタイトルの本に英国大学の教育状況や歴史、コミュニティが詳しく書いてある。これを頼りに寮での会話を増やした。会話のボキャブラリーが徐々に増え、共用部屋に出入りするようになってから日本で撮った写真を見せた。すると評判になり、大勢が集まりパーティを催すことになった。オックスフォード出身の女子が音頭を取り、会費を集めて飲み物と変装コスチュームを買い、簡単な料理を作り、最後の晩餐を真似て始まり、写真を撮り、名前を書いて覚えた。これで、生活が一変した。多くの仲間と部屋に出入りし親身に話すようになった。シャワー後の女子が廊下をタオル巻きで歩いていた。

山本常朝の『葉隠れ』を読んでいるフランス人に、トム・クルーズ主演映画『ラスト・サムライ』に誘われ仲間と観た。この仲間とは、スポーツ・バーでラグビーの試合を観戦し、ナイトクラブを探検して若者文化に触れた。サッカーの試合の時は、フーリガンが信号で止まった車に蹴りを入れるのを見た。ラグビーとサッカーのファンに生活水準の違いを感じた。

ビジネス専攻のドイツ人が自動車会社への就職を考えていた。彼と、カントやヘルマン・ヘッセについて話した。だが、ハイデッガーは知らなかった。ギリシャ人、アイルランド人、ブルガリア人、スェーデン人と話した。彼らは、将来を悲観していた。自分の国の悪いことばかり話した。欧州人は、思考が確《しっか》りしている。だが、自分の目的と関係ないことには興味を示さず、知識量は多くないように感じた。日本人は、選ばずに興味を示すので知識の量は多い。だが、バラバラでまとまりがない。寮生活で知性の違いを感じた。

彼らは、『エラスムス』という単位互換制度で留学していた。欧州域内の指定校は、単位互換があり、他国の大学で卒業に必要な単位を取得できる。そのため、1年間の留学が終わると帰国する。素晴らしい制度だと思う。アジアも加わると良い。欧州は成長する気がしないが、国際社会での役割は長く続くと思えた。

ＭＢＡ準備コースの英語教育

10月1日9時に指定通り「オールド・コレッジ」２１０号室に行った。英国のマスターコースに入るにはＩＥＬＴＳのスコアが6ポイント以上必要だ。スコアが足りない人のためにＭＢＡ準備コースがある。英語圏でない学生向けに英語教育を行うコースがあり、それにＭＢＡ向けのビジネス英語が組み合わされている。午前は2時限に分かれ、1時限がＩＥＬＴＳのテスト対策で、2時限がテーマ別のディスカッションだ。午後はＭＢＡのビジネス英語になる。

午前の学生は多様だ、高卒で語学目的に参加する人が多く、国籍が多様で志望する学部も様々だ。短期留学者やツアーで参加するグループもいる。それ故、頻繁に人が出入りする。

ＭＢＡ志望者は、スコアをクリアして翌年の本コースに入るつもりなので付き合いは長い。初日は、中国人12人の他に、パキスタン人、パレスチナ人、サウジアラビア人、ブラジル人が１人ずついた。そこに、日本人が1人加わった。英語教師は、白髪のスコティッシュで知的な女性教師だった。名前は、キャサリンだ。午後のMBAは、エマという名前の若くて快活なスコティッシュ女教師が担当する。名簿に書いた名前を見た中国人女子が「ジャパニーズ！」と言い驚いた。この大学は、中国政府と提携し、テレビや雑誌を使い、広く宣伝して多くの学生を集めていた。だが、日本人学生はいない。日本では一切宣伝していない。そこに、初の日本人が現れた。それも、MBA志望だ。何故、日本からスコットランドにビジネスを学びにくる必要があるのか不思議に思われた。

自己紹介が順番に進み、各自の語学レベルが分かった。学生の殆どは語学に自信があり、更に磨きをかけるつもりで留学していた。

授業が始まり1週間過ぎ、キャサリンと個別に話した時、「あなたは、本当にマスターコースで学びたいのか？　あなたのような語学力の人は大学院で学びたいとは思わないものだ」と言われた。不安になった。授業料の支払いが求められる時期だ。止めることもできる。学内にあるチャプレン（聖職者）室を訪ねた。チャプレンのレスリーに事情を話すと、レスリーは「心配するな。あなたは、3ヶ月で英語がデキルようになる」と言う。「日本人は、中学・高校・大学で10

年間勉強しても駄目なのに、本当かよ！」と思った。レスリーは、「授業が始まる前と後に、必ずここに来い」と言う。これで、続けることにし、3ヶ月分の授業料を払った。キャサリンの授業とレスリーの個人レッスンが続いた。

キャサリンは、日記の課題を出した。日々の出来事を毎日書き、キャサリンに提出すると、コメントを入れて返される。銀行口座開設の出来事を書いた。「スコットランド銀行」に口座を開きに行くと、予約が必要だと言われ、翌日12時に予約した。当日5分遅れると、「あなたは遅刻したから今日は駄目だ」と言われ、翌日12時に再予約して定刻に行くと、個室に招かれ、インド系の男子マネジャーに様々な質問を受けた。留学の理由や日本での職業、海外の居住を頻繁に変えていないか、犯罪歴はないかなど、30分間の口頭審査を経て認められた。

スコットランドの銀行には通帳がなく、窓口で期間を指定して取引履歴を印刷してもらうことに驚いた。

口座開設後、トラベラーズ・チェックの換金を求めると、「手数料が要る」と言う。「ロイヤルバンク・オブ・スコットランド」に行き、手数料を尋ねると不要だった。だが、1度に20万円が限度だ。連日通うと、4日目に「あなたは何度も来ている」と言われて換金を断られた。間隔を置くことにした。他に、市民体育館のジムを利用するのに予約が要ること、ジムの風呂は水着で入り、男女共用なことに戸惑ったことを書いた。「ＡＴＭが外壁に埋め込まれていて、現金を引き落とすのに人が後ろに並んで見ていると気持ち悪い」と書くと、「人が見ているから安心だ」とコメントが入った。「レンタカーは乗るな」とか、「ヒルトンホテルのカジノはするな」という類の注意が多かった。日本人が事件に巻き込まれるのを警戒していた。

午前のディスカッションは、連日ユニークなテーマで議論を交わした。万引きがテーマの時は、英国ではスーパーの商品の10％が万引きで盗まれるらしく、中国では少額の万引きは多過ぎていちいち捕まえないらしい。日本では、「万引きの件数は少ないが、子供が万引きすると親が呼ばれる」と言うと不思議がられた。憲法がテーマの時は、日本の最高権力者は「天皇か？」と聞かれ、「首相」と答え、「その上が在日米軍かも」と言うと皆笑った。

台湾人の話が出ると、「台湾人と言う言葉はない」と制する中国人がいた。パレスチナ人は、「日本の湾岸戦争派兵に抗議しろ」と言い、パキスタン人は、「イラクに国連が査察し生物化学兵器がなかったことに米国は謝罪すべきだ」と言う。ジャーナリスト志望の中国人女子は、自分が劣ると感じるとキレた。中国人の医者がＭＢＡ志望の理由を聞かれて「医者より儲かる」と答えた。

日本の性ビジネスがテーマの時は、「経験を話せ」と言われた。富士通チャイナで秘書をしていた中国人が、日本で研修を受け、社長にご馳走になったことを自慢した。サウジアラビア人は、サウジアラムコ（国有石油会社）の富を詳しく語った。これに韓国人グループが1週間参加して、韓流ドラマブームの実状を話した。スコットランドだから気兼ねなく話せた。

中国人は、共産党の子息とそれ以外では様子が違った。以外の学生は、「自分は反日ではない」と言い寄り、役人が外国企業から賄賂をせしめる様子を話し、マカオで賭博に興ずる腐敗ぶりを語った。多くの中国人が海外で学び、海外で生活することを望んでいた。若くして金に余裕のある人もいたが、貧しい学生も多かった。それでも、恋愛を謳歌していた。

キャサリンは、偶《たま》に課外授業を催した。最初は、エディンバラ議会の見学だった。エディンバラ城周辺を観光し、ロイヤルマイルのそばにある議会堂の2階席に座し、スコットランドの独立を主張する国民党議員の演説を聴いた。「007のショーン・コネリーが国民党だ」と言うと、キャサリンは「彼は、一度もスコットランドに住んだことのない嘘つきだ」と言い、「国民党は、北海油田の権益をロンドンに奪われた人たちが民族意識にすり替えて人気を得た」と言う。他にも、「セント・アンドリューズ・オールド・ゴルフ・コース」でゴルフの歴史を学び、「エドラドゥーア蒸留所」でスコッチ・ウイスキーを学んだ。

午後のMBA英語は、ビジネスの基礎テキストに沿って用語を覚え、図書館でビジネス本の見方を習い、データベースに蓄積された論文の調べ方を習い、学術調査の方法を習い、論文の書き方を練習した。週次でプレゼンの課題があった。グループワークは、3人で一つの論文を一緒に書く練習だった。

教師のエマは、ソフトウェアの修士号を持つが、「MBAは難しくて自分にはできない」と言った。ビジネスの講義ではなく、研究方法を学ぶのが主旨だ。「一つのテーマを考えるのに10冊以上の本、又は、10人以上の考えを参照し、必要な箇所を引用しろ」と言う。一つの本を隅々まで正確に覚える放送大学の教育とは違う。盗作は厳しく戒められ、独自の考えにまとめ上げることを求めた。エマは、快活でユーモアに富み、強く美しい教師だった。

朝、授業が始まる前に、チャプレン室に寄りレスリーに本日の予定を話した。時に、英語の聖書を大声で読み、発音やアクセントを確認した。授業が終わると、一日の出来事を話し、出された課題を説明した。時には、自筆の論文を直してくれた。それをキャサリンに提出すると、必ずバレた。発音の問題は、単語の前にLとRがつく箇所を意識的に強調して区別すると直ぐに良くなった。他の単語は、カタカナ発音でも通じる。LとRは分けないと通じない。

レスリーの息子が秋田で英語教師として働いていた。息子から送られる写真をよく見せた。学内には、宗派ごとのチャプレンがいた。カソリック、イングランド教会、スコットランド教会、長老派、ルター派のチャプレンがいて、レスリーは、スコットランド教会だ。民族意識が強く、「日本では米国英語が標準だ」と言うと哀れみ、「インバネス（スコットランド、ハイランド地方の都市）の発音が世界で最も美しい英語だ」と称える。留学先にロンドンを選ばず、スコットランドを選んだのは賢明だと褒めた。歴史や文学に詳しい知識人だった。彼が言った通り、3ヶ月経つと生活で英語に困ることはなくなり、翌年、本コースに入ることができた。

スコットランド教会の親切

日曜日は、街の中心にある「セント・メリーズ教会」の礼拝に参加した。この教会は、10世紀にカソリック教会として始まり、宗教改革でカルバン派になり、争いの歴史を経て今は、スコットランド教会だ。留学中は、色々な教会を訪れた。観光用に整備された古い修道院を訪れ、カソリックの大聖堂やイングランド教会の礼拝にも参加した。だが、セント・メリーズが一番しっくりきた。

教会は、留学生を歓迎する様々なイベントを催した。バグパイプの演奏や学生の紹介、カボチャパイの焼き上げ会、民話の語り、聖書研究会、クリスマス・キャロリング、などのイベントに参加するのはアジア人学生が多い。水曜日の夜は、定例で茶菓集会があり、卓球とチェス、トランプで遊んだ。ここで日本からダンディー大学に歯学研究者として赴任した中国人女性と会った。中国から神奈川歯科大学に留学し博士号を取得後に理化学研究所で働き、ダンディー大学に赴任していた。

この教会の長老ティムがアジア人学生を自宅に招き親切にしてくれた。数学の教授だが、オルガンも上手かった。マレーシア人の奥さんが料理を作ってくれた。近くのゴルフ場で散歩した時、ティムに「欧州人とばかり一緒にいるな。アジア人とも交われ」と諭され、デザインの勉強で来ていた韓国人女子とよく話した。「ジャニーズ」など、日本の芸能界に詳しかった。「冬のソナタ」

が流行り、大勢の日本人ファンが韓国に押し寄せた時だ。韓国では、以来ドラマのヒットが続き芸能産業が育つ。来日経験があり、みそ汁の種類に詳しく、日本のカレーが好きで、「将来は東京に住みたい」と話した。

クリスマスの時は街の子供たちと病院に行き、キャンドルを持ち、賛美歌を歌いながら病室を回った。恒例の行事らしい。日本はオモテナシの心と言うが、留学生には伝わらない。日本に留学した学生に感想を聞くと、皆がつまらなかったと言った。国際性は英国の方が上手だ。スコットランド教会の親切は、留学生に伝わった。

旅で出会った友の日本への夢

ダンディーの生活が1ヶ月過ぎる頃から近場の旅行を始めた。北海油田の開発都市、アバディーンを訪れ郵便局で観光用の記念スタンプを押していた時、現地の学生ロスに「日本人ですか?」と日本語で声をかけられた。驚いた。スコットランドに日本人は少なく、日本語のできる人は皆無だ。しかし、彼は自然な発音で日本語を話した。アバディーン大学に通い、日本で英語教師になることを目指していた。日本語は6年間独学で勉強していた。「名門大学だね」と言うと、「大学の勉強には全く興味がない」と言う。「ただ、日本で英語教師になるために大卒の資格が必要だから通ってる」と言う。大学では日本語で語学の単位は取れず、楽だと言う理由でポルトガル語を選んでいた。

彼は、アバディーンの街を詳しく案内してくれた。植物園や北海油田の工業地帯、成功者が暮らす住宅街、「ラッシュの石鹸ショップ」、ゴルフ場、有名な市長の家の歴史博物館で明治維新の頃に訪れた日本人の記録があった。

アバディーンは、明治維新の時に長崎で武器の取引をしていたトーマス・グラバーの故郷だ。国禁を犯し薩摩スチューデントと呼ばれる留学生を支援した。殆どの学生がロンドンで学ぶ中、長沢鼎《かなえ》だけはアバディーンで学び、後に渡米しワインで成功した。

ロスは母子家庭育ちで英国に絶望していた。貴族、ブルジョワ、労働者に分かれる階級社会を嘆いていた。古いゴシックの街を出て、ピカピカの日本で英語教師になり、母親と暮らすことを夢見ていた。

2度来日の経験があり、トンカツが美味しかったと懐かしんだ。日本で撮った写真を見せると羨ましがった。『ラスト・サムライ』が好きで3回観た」と言い、「日本の米国化が過ぎるのが悪い」と愚痴った。留学から戻り、ロスから手紙が届いた。だが、引越しで連絡が途絶えた。

世界初のビデオゲーム学部

キャサリンにビデオゲーム学部のクリスを紹介された。ビデオゲーム学部は、大学の看板だ。世界で初めてビデオゲームの学部を設け、英国アカデミー賞（BAFTA）のビデオゲーム部門で受賞している。当時は、日本のセガやコーエーから講師を招いていた。最近は、「eスポーツ」にも力を入れている。

クリスは大のゲーム好きで「日本のゲームが世界一だ」と褒めた。クリスは、日本語と中国語を勉強していた。年配の日本人女性教師が日本語を教えていた。この大学で唯一の日本人だった。日本で中学教師をした後に英国に留学して博士号を取得したらしい。日本語教室に参加した時、「自分が来る前の年に岐阜大学の女子学生が交換留学で来た」ことを聞いた。この学生は、夏に遊びにきたので会った。聴講生だったらしい。正規の日本人は自分が初なので安心した。一番乗りを逃したと思った。名古屋に語学留学した学生がいたが、「つまらなかった」と呟いた。クリスは、「数学が難しい」と言うが語学も駄目そうだった。英語ですらボキャブラリーが自分より少なかった。

地域のスポーツクラブでフェンシングをしているというので参加した。子供から大人まで古い教会の空き部屋で練習していた。パブで仲間と話したら「フェンシングより剣道が人気」だと言う。防具が高いから仕方なくフェンシングをしていると言い、「セント・アンドリューズ大学」に通う英国の「ウイリアム王子」が熱心な剣士だと言う。今、ゲーム研究科は多くの大学にあるが、アバテイ大学は、今も世界のゲーム研究をリードしている。

カラテクラブと武道の真価

大学の廊下に『ＫＡＲＡＴＥ ＣＬＵＢ』の案内が貼られていたので見学した。空手部までいかない愛好会のレベルだった。空き部屋を使い、20人ほどが稽古していた。松濤館《しょうとうかん》の伝統空手だ。大道塾の空道と合気道の経験があるので難なく参加できた。入門時に合気道の有段者証を見せた。

クラブに入ると、『英国空手連盟ライセンス証』が渡された。押忍が「ＯＡＴＨ」と書かれ、正当防衛以外の目的で技を使わない宣言書にサインして参加費を払うと、空手着と大学のロゴが刺繍された黒いトレーナーが渡された。普通に型と組手があり、昇級・昇段審査もある。１から10まで数える掛け声だけは日本語だ。

合気道を見せろと言われ、杖の型と基本技を見せると喜ばれた。ロンドンから来たグラフィック科所属2段のゴツイ奴に「三教」を決めたら目覚め、稽古に合気道が混ざった、こちらが受けを取っているのに加減を知らず肩を痛めた。

このクラブで諸々の思い出ができた。北野武監督の映画「座頭市」を観に行き、中華ビュッフェを食べ、北海の海岸線を走り、砂浜で稽古した。車に乗り合いハイランドの「ケーンゴームズ国立公園」に行き、冬の「ベン・マクドゥイ山」に登った。帰りは『ピーターパン』の著者ジェームズ・バリの故郷「キリミュア」で休んだ。ここは夏目漱石も訪れた有名な避暑地だ。「英国空手連盟」の合同稽古があり、スコットランド全域から１００人ほど集まった。トンファーやヌンチャクなどの武器演武もあった。女子と約束組手をしている時、日本人と知れるとムキになり激しく攻撃された。子供が色帯を締めて自転車で道場に通う姿は日本と同じだ。コミュニティに根付く武道の真価を感じた。

スコットランド紀行

ダンディーは、コンパクトシティだ。街の中心に都市機能を集中し、３００年前の都市計画を続けながら最先端都市の開発を進めている。伝統と現代のトレンドが融合している。スコットランドのシンボルである「タータン・チェック」の布地は、氏族を意味するクランの紋章が起源だ。ファミリーネームは始祖から始まり、父の名の頭に「Mc」や「Mac」を付けて息子の名前を表す。「McDonald」は、「Donald」の息子の意味だ。又、名前の後に「son」を付ける氏族もある。「Stephenson」は、「Stephen」の息子だ。昔はキルトという民族衣装で氏族の格子柄を使いクランを表した。

街の至る所でバグパイプが奏でられ音色が流れる。『Auld Lang Syne』は、「オールド・ラング・サイン」と読む。ロバート・バーンズという18世紀の国民的詩人がスコッツ語で書いた有名な詩だ。これが、日本で「蛍の光」の歌詞に変わり、卒業式で歌われている。作曲者は不明で、古からバグパイプの伝承で伝わった。ロバート・バーンズの銅像は、スコットランド全域にある。ダンディーの「マクマヌス・ギャラリー」前にも飾られている。「ロンドンデリーの歌」の演奏も多い。こちらは、アイルランド民謡で英国領北アイルランドの国歌だ。スコットランドへの移民が多い。

留学して間もなく近場から遠足を始め、時間があれば観光地に足を運んだ。1ポンドバスがあり、学生はネット予約すれば1ポンドで遠距離の旅ができた。ダンディー市内に世界初の南極探査船「RRSディスカバリー号」が街の顔として水上展示されている。1901年に国策で造られ、「キャプテン・スコット」率いる探検隊が3年間、3度に渡り南極への航海を行い、3度目にキャプテンは遺体で帰還した。世界で初めて南極点に到達したのは、ノルウェーの「アムンゼン」だ。これで初の南極点到達を逃したが、地形、生態、海流に関する調査記録が学術的に高い評価を受け、後の南極調査と地球環境科学の発展に貢献した。上船して備品を見ると想像が膨らんだ。

英国の美術館は、どこも無料だ。「マクマヌス・ギャラリー」は、街に出る度寄った。伝統品やヴィクトリア朝時代のコレクションが多い。

大学の裏にある「ヴァーダント・ワークス」も度々訪れた。１００年以上前にジュートと言う麻の生産で最盛期に達した繊維工場だ。産業革命の一端を担い、英国の繁栄を促した。

スコットランドでは、テキスタイルが伝統的な産業だ。当時の設備と労働や経営の記録が保存されている。

テイ川の橋を渡ると、セント・アンドリューズに出る。ゴルフ発祥地、「オールド・コース」があり、全英オープンの時は大勢の人が集まる。ゴルフ博物館には、トヨタや日本の企業からの贈答品も展示されていた。ゴルフの歴史が分かる。スコットランド最古の「セント・アンドリューズ大学」も有名だ。当時、「ウイリアム王子」が修学していた。ここで恋愛し、公爵夫人を娶った。

ダンディーからバス20分のカントリーサイドに「グラームス城」がある。シェイクスピアが『マクベス』の舞台として描き、王ダンカンを殺害した場所だ。実際は別の場所らしい。日本で城と言えば公共物だが、英国の城はロイヤルファミリーの貴族が自己所有し、別荘などの住居として使っている。それでも、城内を観光用に公開しているケースが多い。グラームス城も１３７２年にロイヤルファミリーが所有し、エリザベス女王の母が育ち、マーガレット王女がここで生まれた。

城内の半分は、ガイドの案内付きで観覧できる。中世の男性用化粧室が面白い。古い家具類から生活を想像できる。1580年に建てられたスクーン宮殿も近い。伯爵夫婦が住んでいるが、宮殿内は公開されている。600年にわたり歴代スコットランド王の戴冠式で使われた『運命の石』のレプリカがある。王座に座り戴冠式を想像した。1296年にイングランド王が戦利品としてロンドンの「ウェストミンスター寺院」に運び去り、700年後の1996年に「スコットランド国民党」が結党して勢いづいたため、当時のメージャー首相が宥《なだ》めるためにスコットランドに返還し、エディンバラ城に安置した。『運命の石』は、クランやキルト、タータン、バグパイプと同じく民族の象徴だ。

国民党は、イングランドと別れてEUに残るつもりだ。留学中に、ロンドンのオペラ劇場でスコットランド紙幣を出したら嫌な顔をされた。これを大学で話したらスコットランド人も嫌な顔をした。多くのスコットランド人がロンドンを嫌う。歓楽街のピカデリーの話をするとスリにあったことを話し、悪い奴が多いから行くなと言う。同じポンド通貨でも貨幣が違う。スコットランドの貨幣は昔からスコットランドの銀行が発行している。そのため、コインの種類が多く、自動販売機の認識率が悪い。言葉のアクセントも違う。イングランドとは長い抗争の歴史がある。

95年にメル・ギブソンが主演した映画「ブレイブ・ハート」がヒットした。13世紀にイングランドの過酷な支配に抵抗する愛国者「ウィリアム・ウォレス」の生涯を演じた作品だ。ウォレスは、国民感情を高めて抵抗運動を行い１２９７年「スターリング・ブリッジ」の戦いでイングランド軍に勝つ。だが、翌年「フォルカークの戦い」で敗れ、抵抗するも１３０５年にイングランド軍に捕えられ残酷な刑に処され世を去る。しかし、彼の死により国民が奮起し、１３１４年にウォレスの遺志を継いだロバート・ザ・ブルースが「バノック・バーンの戦い」でイングランド軍を破り、スコットランドの独立を果たし、１７８８年に世継ぎが途絶えスチュアート王家が断絶するまで王国は続いた。

スターリングは、人口4万足らずの小さ町だが、「スターリング城」は独立戦争の舞台だ。ウォレスとブルースの像が建ち、民族の誇りを表す。スコットランド王国は、ここから始まりエディンバラ城に移り「ロイヤル・スチュアート王朝」が栄え欧州の物語に彩りを添えた。

後に「メアリー王女」が生まれ、フランスとイングランドとの外交を左右し、権力抗争の果てに国を追われ、イングランド女王の「エリザベス1世」の手により首を刎ねられて悲劇の最期を遂げた。

スコットランドが1801年の合同法により連合王国となり、大英帝国は栄えた。この繁栄の立役者の一人が『富国論』を世に著したアダム・スミスだ。スミスは、「グラスゴー大学」で道徳倫理学を学んだ後、「オックスフォード大学」に進学したが中退し、「エディンバラ大学」で文学と法学を教え、1751年にグラスゴー大学の教授に就いた。その後、啓蒙思想家と交流を重ねて『富国論』を書き、「グラスゴー大学」で経済学を始めた。

「グラスゴー大学」を初めて見ると、その古くてゴツイ建物の威容に驚く。ここで、ミクロ経済学の市場メカニズムが形作られ、技術で内需を興すことの重要性が語られ、それまで海外から金銀などの富を獲得することに傾倒していた「重商主義政策」を変えた。これが、合同法で連合王国となり、19世紀に大英帝国が世界の覇者となる礎となった。

クリスマスから年明けにかけて寮に残る学生は、僅かとなる。この間にロンドンの旅に出た。移動は長距離バスが安い。鉄道は速いが値段が高い。飛行機は更に高い。ロンドンは、日本から来る時に飛行機の窓から夜の明かりを見ただけだ。ヒースロー空港から飛行機で来たのでイングランドの街も見ていない。

2階建てのバスの窓からロンドンまでの街並みを眺め、『ハリー・ポッター』を思い出していた。著者のJ・K・ローリングがエディンバラで書いていた。主人公のハリーは、蒸気機関車に乗り、「ホグワーツ魔法魔術学校」に向かう。その撮影で使われたのが、フォートウィリアムの「グレフィナン高架橋」を走る『ジャコバイト号』だ。谷に架かる鉄道橋が30メートルの橋桁で支えられている。フォートウィリアムは、スコットランド西部に位置し、遠いので行かなかった。だが、ロケ地は他にもある。ロンドンに「キングス・クロス駅」、「レドンホールマーケット」、「バラマーケット」、「ミレニアム・ブリッジ」がある。「オックスフォード大学」の「ザ・グレート・ホール」は、映画の大舞台だ。

著者は、女流であることを隠すためにペンネームを使ったらしい。女流は、売り上げが落ちる傾向があると言うのが理由だ。だが、映画化されて以降は、大作家としての地位を固め、「人は皆、想像力と言う魔法を持つ」の名言を語り、世界中の子供を魅了した。

ロンドンまで10時間の道程は、英国特有の「デタッチ様式」の家並みが続く。高層ビルは少なく、低層で石作りの家並みに尖塔屋根のついた教会が点在する。「テスコ」、「セインズベリーズ」などのスーパーが全国にあり、大型の24時間店が郊外の夜に明かりを照らす。日本のコンビニのような、街中で営業する小型の24時間店はない。街中にある小型の食料店は9時に閉まり、他の店は6時に閉まる。夜間営業する店はホテルとパブだけだ。日本の生活に慣れた人は、退屈に感じる。だが、慣れると落ち着き快適だ。

留学中に「セルフレジ」が始まった。自分でバーコードを通し、コインを入れた。だが、硬貨の種類が多く認識率が悪いために何度も入れ直した。これも、英国で始まり世界に広がった。銀行のカード切り替え時にも驚いた。銀行カードは1年ごとの更新だ。カードが2枚届いた。窓口で問い合わせたら事務ミスだった。

高額の100ポンド紙幣を使う時には疑われた。「トラベラーズ・チェック」を換金する際に紙幣の種類を聞かれ「少ない方が良い」と思い「大きいのにして」と言った時、銀行員がニヤリとしたのを思い出した。英国では、20ポンド紙幣を常に使うが、100ポンド紙幣は使わない。アジア人の顔をして100ポンド紙幣を出したら疑われて当然だ。レストランで渡したら、「待て」

と制されて20分ほど札を確認した後にお釣りがもらえた。

髪を切るのに予約が必要だった。日本では髪を洗い、髭を剃るサービスに慣れていたので、切るだけのサービスが新鮮だった。これも、日本に普及した。

テレビを買った時は、英国放送協会への支払い代金を取られた。だが、負担を感じたのは、それだけだ。

公共の美術館や博物館は無料だ。学生証があれば、「国民保険サービス」で医療を無料受診できる。交通機関や宿泊施設の学割も多い。


バスは早朝、ロンドンの「ヴィクトリア駅」に着いた。大きなバス停だ。英国国内だけでなく、欧州全域に向けたバスが停まる。トルコやロシアまで行くバスもある。この長距離バスは、欧州統合の成果だ。降りると観光客向けの呼び込みが寄ってくる。タクシーやホテルの客引きだ。構わず歩き出すとテムズ川沿いに建つ国会議事堂が見えた。「ビック・ベン」だ。

初めて見たロンドンだった。興奮し、一日中歩き回った。「シティ街」を歩き、「ウェストミンスター寺院」、「ロンドン塔」、「バッキンガム宮殿」を観て、「キングス・クロス駅」に降りて「ロンドン大学」に寄り、「大英博物館」に辿り着いた。ここは、２日かけて観た。夜になり、安宿を探し、市街に並ぶ古い集合建物で、地下と2階に分かれる入り口のあるホテルに泊まった。映画やテレビで観た建物だ。掃除はされているが、ボロボロの古いベッドとクローゼットだけがある。シャワーのお湯はチョロチョロだ。ここに2晩泊まり、「シャーロックホームズ博物館」に足を運び、「ピカデリー・サーカス」に赴き、「ハー・マジェスティーズ劇場」で『オペラ座の怪人』を観劇した。東京の「オペラシティ」で観た時より、踊りの切れが良い。ロンドンの中でもピカデリーだけは、東京と同じく夜も煌々と明るい。

ロンドンは、3日で観終わった。これで、分かった。ここに、留学しなくて良かった。ロンドは、観光で十分楽しめた。それも、1週間で飽きる。人の多さが邪魔になり、コスト負担で嫌になる。ダンディーを選んで正解だった。

宿を引き払い、電車でオックスフォードに向かった。駅は、意外に小さい。街に出ると、観光用の赤い2階建てバスが巡回しているのが見え乗った。

大学のキャンパス全体をガイド付きで眺められた。古くて綺麗な校舎が並んでいた。「ザ・グレート・ホール」の近くを歩いた。ここでも、「この大学に留学しなくて良かった」と思った。まるで、大がかりな観光施設だ。インターネットが普及した時代に、どれほど違いのある教育ができるか疑問だ。一旦、ロンドンに戻り、バスで帰ることにした。だが、路線を変えて「ミルトン・ケインズ」を通る路線を選んだ。ケンブリッジとオックスフォードの中間東部に位置し、ニュータウンとして知られる。「公開大学」の拠点だ。ここから、放送による通信制の教育が始まり、世界に広がった。放送大学の英語教科書にインタビューや取材記事があり、一度見てみたいと思っていた。オレンジ色の同じ戸建て分譲住宅が沢山並ぶ街だ。ここに住み、通信制の授業を受けることも考えたが、止めて正解だった。ここに、歴史の面白味はない。バスは、エディンバラを過ぎ、ダンディーに着いた。ロンドンの旅が終わり、英国の未来を考えた。スコットランドがイングランドと別れて欧州に残れば、アダム・スミスが「グラスゴー大学」で経済学を始めて統合した「連合王国」がなくなり、産業革命以来の近代史が終わる。

ＭＢＡの学び方

年が明けて、学生が戻って来た。英国の食事はまずいと言われるが、そんなことはない。単調なだけだ。寮の友人に芋を煮たから食べようと誘われた。日本人なら芋にネギや肉を入れて味付けして食べる。彼らは、本当に芋だけを煮て塩をかけて食べる。この感覚は確かに違う。

食材は、なんでも「テスコ」で売っている。悪くない。この頃、日本製品は強かった。家電量販店のウィンドウは日本製品で飾られ、街の道路には日本車が溢れた。多くの学生がソニーのパソコンを使った。これを見た中国人学生は思い、会話に出した。

「中国は、安くて人が多いだけじゃない。何れ日本を追い越す」

教授も、そう教えていた。準備コースの終わりにIELTSを受けパスした。英語の検定試験は語学力を評価するが思考力は問わない。「話す」、「書く」試験で深く考えるとスコアが落ちる。問題は、高校生レベルの知識で解答できる内容だ。文法の正確さ、流暢さ、単語の豊かさ、発音の良さ、構成の明瞭さが問われる。しかし、MBAで必要になるのは視点の良さ、思考力、判断力、概念化する力だ。検定試験のスコアだけを目的に英語を勉強すると思考力を落とす。英語圏の学生は、大学入学前にエッセイを書くことで思考力が鍛えられる。高校時代の問題は記述式が中心で、日本の教育と違う。共通一次に該当する試験はない。

全国一斉の同じ試験は、公平で均一な評価を可能にする反面、画一的な知識による検索型思考を強化する。テーマを設ける観察力、説明力、論理的思考力、結論を出す判断力、行動に必要な概念化する力を育む機会が削がれる。

この教育が功を奏した時期もある。戦後の経済成長のためには良かった。大勢で同じものを間違いなく大量に生産するためには、思考は邪魔だ。生産性を高めるのは規格化だ。効率の悪い欧米を尻目に、日本は一気に品質の高い品物を量産し、輸出した。しかし、後から台湾、中国、韓国が日本の教育を真似た。すると、日本は低価格に負けた。更に、アジアの学生はグローバルの波をつかんだ。

４月から短期留学グループが断続的に来校するようになり参加した。韓国、ブラジル、インド、中国、マレーシア、アラブ、ナイジェリアなどの学生と特定テーマでプレゼンした。

日本を発つ時、１年間有効の往復チケットで来たので、８月からのコース開始前に帰国し天童に帰省した。兄と天ぷら蕎麦を食べ、「フィッシュ＆チップス」も美味いと話した。団地は誰にも使われず、前のままだった。

７月中旬、大学に戻るとＭＢＡ学生が次々に到着し、連日行われるオリエンテーションに参加していた。各科目の担当教授が交互にコース内容を説明し、教科書の購入を指示した。８月に入学式が開かれた。学生数は50人で、インド15人、中国15人、欧州諸国10人、英国５人、その他５名だった。日本は１人だ。

年が明けた１月に基礎科目のテストが行われ、５月に専門コースの試験が行われ、８月に修士論文の審査で学位が決まる。一般科目は、「財務会計」、「ビジネス経済学」、「マーケティング」、「人材管理」、「国際経営」、「数量的管理」、「戦略的経営」、「起業論」だ。

専門コースは、「企業財務」、「人材管理」、「マーケティング」、「起業論」、「国際経営」、「バイオ技術」に分かれる。専門は、「国際経営」を選んだ。専門科目に、「国際財務」、「国際マーケティング」、「国際人材管理」が入る。科目ごとに単位数と評価方法が決まっている。

試験と別にコースワークという課題がある。授業への出席、論文の提出、プレゼンやグループワークだ。盗作や著作権侵害は厳重に戒められる。参照文献の記載方法もハーバードスタイルと言われる形式で書くようお作法の説明がある。授業では必ず議論が行われ、自分の考えを示さなければならない。

英語の準備コースを経ずに入学した学生は、自国で英語の検定試験をパスしている。しかし、膨大な量のワークについて行けず、10名が一般科目の試験を受けずに去った。専門コースの試験前には学生数は半分になった。

本コースが始まり余裕がなくなった。旅行や空手の稽古、教会礼拝、寮での交流はなくなった。分厚い本を部屋に並べ、長時間にわたる思考と単位を落とす不安との闘いが続いた。それでもコースワークは全て熟した。最初の試験に驚いた。入室には鉛筆と消しゴム、留学生には辞書の持ち込みが許された。問題数は少ないが、2時間でＡ３の白紙いっぱいに解答を論述する。論理的な整合性と独自のアイディアが必要だ。この試験でマーケティングを逃した。理由を尋ねたら教科書の盗作に近い、自分の考えが足りないと言う。2科目落とせば修士論文の提出資格がなくなる。

専門コースで国際マーケティングの研究課題にユニクロの事例が出た。「取れた」と思った。このクラスに日本人は自分だけ、日本を舞台にした課題だ。合格すると思い、修士論文の研究を始めた。暫くして、国際マーケティングの結果が出た。落第だった。信じられなかった。どうしても納得がいかず、教授に「何故か」と問うた。教授はニヤリと笑い、「プライドのせい」だと言った。

フォーブス誌に掲載された世界ランキング２００社を対象に世界的な成功の要因を調べ「世界的成功の主要因」と題した修士論文を書き、国際経営の教授に指導を受け、合格の評価を得た。だが、「マーケティング」と「国際マーケティング」の2科目を落としたために、修士論文の評価は無効となった。

学位はＭＢＡ取得とならず、ＭＢＡ修了で終わった。後から国際マーケティングの提出論文を読み返した。落第の意味が分かった。これでＭＢＡが終わった。主任教授に「落とした科目は、次年度に追試できる」と言われた。だが、断り、修了証書を受け取ることにした。金は尽きた。自分は、マーケティングが弱いのだろうか。それとも、偶々《たまたま》教授が厳しい人だったのか。この先、就活する際、学位を問われたらＭＢＡ取得とは答えられない。それで良いのか。リスクを取り挑戦した結果だ。何のための留学か。グローバル化の中で道を切り開くためのキャリア開発だ。ならば、欠けた単位は、実務で埋めるのだ。学位の問題でない。ＭＢＡが分かった。目的は達した。

欧州紀行と不安な未来

修士論文を書き終えて欧州大陸の旅に出た。提出する時に廊下でキャサリンと会った。論文の表紙を見せると「Well Done!（よくやりましたね！）」と言った。初めて聞いた。大陸に渡るためにグラスゴーで「イージージェット（easyJet）」に乗り、アムステルダムで降りた。「イージージェット」は、欧州の格安航空で成功し、アジアで格安航空を始める先例になった。シンプルなフライトが新鮮だった。

アムステルダムで泊まり、ブリュッセルに向かい、アントワープに寄り、パリで二晩泊まり観光地を巡った。フランクフルトにバスで向かい、高速鉄道でアムステルダムに戻った。国境を通過する度に警備員が入りパスポートをチェックしたが、自由に往来できた。欧州統合の恩恵だった。

英国がＥＵから離脱すると不便になる。世界の金融センターであるロンドンで取引する意味が薄れる。欧州全体の魅力が落ちる。コロナ禍で米ドルが大量に発行されてインフレが懸念されている。デジタル人民元が、共通通貨として普及するか否か話題だ。世界中で貨幣を増やしているために株と不動産に流れて価格が上がっている。だが、何時崩れるか、多くの人が心配している。日本は、欧州の帝国主義を脅威に感じ、抗するために明治維新を起こした。そして、世界中が帝国主義と化し、植民地争奪戦を繰り広げる中でアジアの解放を謳い、戦った末に第二次世界大戦の悲劇に至った。戦後、冷戦で世界が二つに割れ、朝鮮戦争やベトナム戦争の苦しみを経て、旧ソビエト連邦が崩壊し、東側諸国が国を開くと、瞬く間にグローバル化が進み世界は単一市場となった。

２０２０年、東京オリ・パラ大会の準備が進む中でコロナウイルスによる深刻なパンデミックが起きた。「コロナ後は、如何にあるべきか」を考えざるを得なくなった。コロナ前に戻れば、災禍を繰り返して苦しみ続けるのではないか。米国が中国と覇権を争い、紛争の末に世界政府が樹立され、持続的な世界が到来するかも知れない。或いは、中国の力が他に勝り、東アジアを中心とする新たな世界が到来するかも知れない。然らば、日本は、如何にコロナ後を考えるべきか。

第6章　コロナ後の日本

生涯学習前提の教育

日本は、焦土敗戦の時にＧＨＱに占領され、米国と旧ソビエト連邦が覇権を争う冷戦に入る中で共産圏の盾となった。マッカーサー草案をもとにした日本国憲法が発布されて民主主義の時代が訪れた。一方、大戦後に始まった西と東の争いは、大日本帝国が退いた朝鮮半島でぶつかり日本は米国に要請されて物資を供給し、米軍派兵に協力した。この軍需が復興の契機となり、重工業の生産が伸びた。

朝鮮戦争が休戦すると、日米同盟が強化され、米国市場が開放されて日本は玩具を初めとした輸出を伸ばし、雇用を増やして経済成長を始めた。日本は、戦後を引きずるアジア諸国を尻目に、鉄の生産を増やして米国に輸出し、奇跡の復興を成し遂げた。米国との貿易で国は豊かになり、インフラの整備が進み、電化製品や自動車の生産を増やしてアジア諸国のモデルとなった。この過程で、戦後の教育システムが確立した。

低コストで、大量に、同じものを、間違いなく、早く作ることで成功した日本の教育は、思考によるロスを減らし、組織に序列を作るための手段となった。そして、80年代には、「ジャパン・アズ・ナンバーワン」という製造業の興隆期に入り、米国との貿易摩擦が深刻になると85年にプラザ合意で円ドルの為替レートが引き上げられてバブル経済が起き、崩壊した。その後は、成功体験を引きずり低迷するうちに、アジア諸国が目覚めて日本モデルを真似ると、圧倒的なコスト競争力と豊富な労働力に負け続けた。

世界経済の主役は、90年代までの石油エネルギーから、２０００年代は金融に変わり、10年代はＩＴに変わった。10年後、世界的に少子高齢化が進む中、日本は3分の1が高齢者となる。教育と働き方の一体変革が求められる所以だ。

デジタル化が進む現代は、必然的に生涯学習を前提とする社会でなければならない。社会は今後も変化を続け、ＩＴも変わり続ける。変化に応じるには学習が必要だ。だが、資格試験のような技能検定からは、新たな価値は生まれない。状況に応じ、柔軟に高等教育を就労に組み入れる仕組みが要る。又、専門分野の仲間と自主的に研究するコミュニティも必要だ。「オープンイノベーション」と言われる活動は、特定の組織を横断し、アイディアを育まなければならない。大学入試の難易度で組織を序列化し、定年まで同じ組織で過ごす時代ではない。生涯価値を大学入試に集中し、卒業後は序列化された組織に属し、課長、部長と昇進するのを目指して終わる人生シナリオを捨てれば、高校生活にストレスを感じずに将来を展望できる。又、グローバル化した現代は、コロナ禍で国の移動が制限されても、生産やサービスのサプライチェーンは途切れることなく続く。国籍の異なる人との協働は避けられないのであり、留学による国際理解は益々、重要となる。

一方、経済成長期と違い、多くの親が潤沢に教育費を賄える時代ではない。高等教育の費用は、自分で稼がねばならぬ。更に、人生１００年の長寿社会は、定年退職で楽な一生は送れない。老後も生きがいを求めて学ぶ時代だ。社会と職場は、生涯学習を前提に変革すべきだ。放送大学から英国留学を果たし、生涯学習の価値を実感した。留学の前後で仕事の質が変わり、生活が変わった。37才から39才の2年間はタイミングが良かった。

個人重視の働き方改革

戦後の成功は、集団主義に裏打ちされた。みんなで、足並みを揃えて物を作ることで同じものを、間違いなく、大量に作ることができた。転職を繰り返す事を戒め、組織への従属を図ることで成長した。

戦後の復興は他国同様、国による開発独裁体制で底上げし、国際競争力ある企業が育つと公社の民営化が始まり、組織構造を維持したまま天下りが私物化して既得権益が固定した。90年代から、金融のグローバル化でコーポレートガバナンスは変化したが、集団主義を続けるために年齢構成が逆転する中、大量の派遣を雇い部下に付けて組織構造を維持した。この過程で、社員と派遣の身分制が根付いた。

会社員は、居心地の良さを守るために派遣を犠牲にし、デジタル化による組織構造の変革を遅らせた。生産活動の多くが海外に移転し、グローバル化が進んでも日本的経営は変わらず、10年代のデジタル革命が進む中で国力を落とした。教育の変革は必要だが、育った人が活躍する環境がなければ教育は無駄になる。エジソンが言うように、「天才は1％のひらめきと99％の汗」だとすれば、成すのは個人だ。個人が始め、それを社会は育まねばならない。社名ではなく、個人の成果が称えられるべきだ。

特異な個人の能力が市場価値に即して認められねば、中国や韓国などの企業に高値で転んでも致し方ない。

派遣は、確かに雇用を増やした。組織の縛りを外せば、労働の需給を柔軟に調整できる。だが、そこには身分制の罠があり、派遣先社員に屈辱的に隷属する労働者を増やすことになった。派遣元の雇用を受け、派遣先の指示で働く就労は、現代版の奴隷制だ。これに対し、業務委託は別だ。法人であれ、個人であれ、役務サービスとして契約して働けば、対等な関係が成り立つ。複数の人材紹介業者と取引することで仕事の安定を図れる。だが、この働き方を社会的に確立するには、マージンルールが必要だ。

紹介会社の収益は、提供先から得た売り上げと働き手への支払い差額であるマージンだ。これに制限が必要だ。仮に、働き手への支払額が十分でも提供先が多く払えば、社会的費用が増える。そして、紹介会社は、提供先と働き手に、受け取り金額と支払い金額を告知しなければならない。この告知がないと、払う側と働く側の認識がずれて納得の行くサービスにならない。ローンに法定金利があるようにマージンにも法定利率が要る。15%を限度とすべきだ。派遣制度を廃止して業務委託にすれば専門的な能力を発揮しやすくなり、デジタル化による変革が進む。英国留学は、エージェントの働きなしには叶わなかった。留学費用は業務委託で得たのであり、帰国後もエージェントで職を得てグローバル化の中で道を切り開くことができた。しかし、個人重視の働き方は十分ではない。多くの大企業が派遣契約を求め業務委託を断る。マージンもバラバラだ。人材紹介と業務委託があれば、派遣制度はいらない。

成長経済から定常経済へ

人類は、有史以来豊かさを求めて文明を発展させてきた。特に、18世紀に英国で産業革命が起きると工場での生産量が高まり、鉄道による人の移動が増え、貿易が増えて世界中に物が運ばれた。そして、人口が増え、教育水準が高まり、技術が発展し、益々、生産が増えた。

19世紀には、自動車の燃料として石油が使われ始め、石油の消費量が激増し、自動車の製造と石油の生産に多くの資金が投じられて、豊かさが増した。

更に、90年に冷戦が終わり、世界が単一市場と化すと、10億の人口を超える中国とインドに開発資金が怒涛の如く流れ、エネルギーを使い生産を増やし、世界中の資源を集めて経済が成長した。以来、インターネットが普及し、アフリカの開発が進み、幼児死亡率が下がり、寿命が延び、地球の人口は急増した。そして、二酸化炭素の排出による地球温暖化が危惧されるようになり、

97年には京都議定書が締結されて二酸化炭素排出量の削減目標が定められたが、多くの国が経済成長と環境保護の両立を模索しながらも削減目標に至らずに温室効果ガスを排出し続けている。

経済成長を求めれば、人口が増えて資源の利用は増える。しかし、地球にある資源は増えない。地球から取る量と戻す量のバランスが崩れると持続不可能になるのは自明だ。

14年に「ブルー・プラネット賞」を受賞した生態経済学者のハーマン・デイリーは、エントロピーの入出量である地球のスループット（資源が流れる量）を一定に保つ定常経済を提唱している。

「地球が空いている時、生産を拡大することは経済的だが、いっぱいの地球ではむしろ不経済になる。多くの国がGDP成長率を経済政策の目標に掲げるが、GDPには適正規模があり、適正規模を超えれば財政負担を増し、格差を拡大して不経済になる」

有効な経済性を維持するには適正なGDPの規模に抑える必要がある。即ち、GDPは増えれば良いのではない。GDPの適正規模を超えた財政出動は、無駄な公共投資により特定の企業に金が流れて国の負債が増えるが、雇用創出効果は限定的だ。むしろ、低所得者に所得補償のかたちで直接渡す方が良い。

ウイルスによるパンデミックは、偶然な自然災害ではない。人間活動が広がり、未知のウイルスが存在するエリアに踏み込んだ結果だ。頻発する豪雨災害や山火事は、温暖化と密接な関連がある。コロナ後は、生産の拡大による経済成長を見直し、生産の規模を一定に抑えて幸せを感ずることのできる社会システムに変えるべきだ。MBA留学は、グローバル化による経済拡大の象徴とも言える。しかし、経営は営利だけに留まらない。MBAの各科目は非営利を含む内容だった。2050年にカーボンニュートラル（脱炭素社会）を実現するには、国際的で戦略的な変革が必要だ。定常経済においても役立つ。

民営化と公共の見直し

01年に郵政民営化を掲げて小泉内閣が発足し、「新自由主義」と言う言葉が使われるようになったが、民営化の流れは80年代の中曽根内閣の時代に進んだ。「日本電信電話公社」、「日本専売公社」、「日本航空」などが株式会社になり、半官半民の第3セクターと言われる財団、社団、株式会社が続出した。それらは、天下りの受け皿として、或いは、杜撰《ずさん》な経営で破綻し、世の非難を受けた。

それでも、10年に「日本航空」が破綻すると、直ちに公的資金が投じられて再建された。「全日空」が不平を漏らすのも当然だ。民営化しても、いざとなれば国費を投ずるのでは民営化の意味がない。ならば、民営化などせず、公共機関として運営すれば良い。民営化するのは、「独立採算による効率的な業務運営を行うため」だと言う。だが、法人形態を変えて業務効率が良くなる筈はない。公共機関のままでも業務改善はできる。

公共は、多くの人が関わり運営されるべきだ。然らば、公務員を終身制とする前提を見直し、任期制にすることで人材の流動化を図れば、多くの人に公共心が身に付き業務改善が進む。この際、日本固有の悪習である第3セクターを廃止して、必要ならば公共機関に戻して任期制による働き方改革を進めるべきだ。

NPO法人制度が97年に施行され新たな公共が定着した。行政とNPOの連携でも公共サービスを高めることができる。コロナ後は、公共哲学による公共の見直しから社会を変革すべきだ。「新自由主義」の流れは、MBAとの関連で語られることが多い。確かに、マーケティング、戦略的経営、企業財務、人的資源管理などの手法は、ビジネススクールで生まれて普及した。しかし、民営化の流れは直接関係ない。公共機関でもMBAの考え方は適用できる。問題は、終身制による既得権益だ。

宗教と教育の融合

戦後、日本の教育は、GHQによる戦前日本の否定と帝国主義の反省から宗教的なものを教育の場から排除した。唯物論を前提に知育と体育の成果を数値化し、道徳や精神を軽んじて競争による能力の序列化を図った。全ての生徒を平等に扱い、効率的な評価制度が確立し、日本の経済成長に貢献した。だが、その陰で多くの新興宗教が育ち、宗教的な無知に付け込み、信者を増やした。政治においても憲法に定められた公平を期すために、宗教団体の支援を受けていても政教分離の姿勢を見せた。即ち、戦後の日本社会では、宗教は陰に隠れて動く存在であり、公の場ではタブーとされた。

「仕事場では、宗教と政治の話しは避ける」のが社会人の常識とされた。そして、多くの会社員は会社組織に埋没して己を忘れ、政治や宗教について全く考えずに一生を過ごすようになった。

だが、人には、正義や美徳、聖なるものを感ずる心が生来備わっているのであり、時折、心がうずき関心を覚えると、未熟な心は易き誘いに応じてしまい、新興宗教の餌食となる。

人は、霊性や徳、精神や信仰への関心を隠すべきでない。又、他人の善なる思いを「生意気」と咎めてはならない。それが、目下の者でも良きことは認めねばならぬ。

幼い頃からベンチャー社長を尊敬するように教育すれば、金儲けで成功することが正義と思い込み、歪んだ人格が形成される。確かに、「人間万事金の世の中」の感はある。しかし、世は移り行くものであり、ひと時の成功も永く覚えられるものではない。

古より偉人、天才が遺し伝えた古典の価値は、パソコン如きの勢いで滅ずるものではない。寧ろ、大量の同じ技術の洪水は、たちまち価値を落とす危うさを孕む。5000年前を起源とする旧約聖書と2000年の時を経た新約聖書は、計り知れない数の苦悩を抱えた人々に読まれて、今なお国際政治の大舞台に影響を与えているのだ。欧米の大学には、学内に教会がある。『信は知を求め、知が信に従う』伝統だ。日本においても、禅は「侘び」と「寂び」の美を生み、滅私の徳を育んだ。コロナ後は、教育と宗教の融合を図り、霊性を磨き、易き新興宗教の誘いに捉われないようにせねばならぬ。

ダンディーでは、「セント・メリーズ教会」が留学生をもてなし、コミュニティの要として機能していた。伝統に根差した霊性は、不安を抱える学生の心に安堵をもたらし、街への愛着を育んでいた。

対米自立と自主独立

「日本が米国との戦争に負けて良かったのか、悪かったのか」分からないが、戦前の日本に生まれず、中国や旧ソビエト連邦にも生まれずに経済成長期の日本に生まれて良かったと思う。軍国日本より民主日本が良い。

戦後、米国との同盟で恩恵を受けたのは確かだ。その裏には、ＧＨＱの乱暴で犠牲になり、在日米軍の無法で犠牲となった方がおり、志を曲げられた政治家がいる。「思いやり予算」や法外な兵器購入経費も隣国から安全を守るためには必要だった。

戦後、米国は世界の警察として独裁者の横暴を抑制し、安全を守った。だが、ベトナム戦争以降は、中東での石油利権が軍事行動に影響するようになり、湾岸戦争を始め、テロを招き、イラク戦争を起こし、過激派組織イスラム国（ＩＳＩＬ）の出現を招き、アフガニスタンに派兵して軍産複合体の国益を守る姿勢を世界に示した。トランプ政権は、中国に高関税を強いて自国第一主義を強調した。

日本は戦後、米国の国益のために多くの制約を課された。田中角栄元首相は、米国に無断で中国と国交を結び、米国の圧力で首相の座を下ろされ、ロッキード汚職の犯人に仕立てられた。鳩山一郎元首相や橋本龍太郎元首相も志を曲げられた。

米国は、東アジアの防衛と貿易の利権を守るために様々な外交圧力をかける。その礎《いしずえ》が、在日米軍の存在だ。日本は、自主防衛の決意を固め、駐留なき日米同盟に変更せねば国民本位の改革を進めることはできない。実際、トランプ政権は、「軍事費を増やさねば在日米軍を撤退する」と言った。ならば、撤退してもらい、自主防衛のために経費を当てるべきだ。留学中、中東諸国の学生が米国への敵意を表し、欧州諸国も米国への不満を隠さなかった。日本ファンの多くが、米国色に染まることを嫌う。米国は、最早《もはや》、頼りにならないのだ。

コミュニティの役割

98年に特定非営利活動促進法が成立して、多くのＮＰＯ団体が設立され、盛んに活動している。経済成長期の日本人は、生活の全てが会社の組織に依存していた。冠婚葬祭を始め、家族とのつながりも会社で守られた。会社側も、社員は一生面倒を見るつもりで採用した。自己は、社名付きの存在だった。社員旅行があり、盆暮れの挨拶回りがあった。それが、今は半分が非正規労働者になり、会社側も一生の面倒を見るつもりはない。

会社は変わるものであり、社名と肩書を仕事以外で示すことは減った。個人情報保護法の影響もある。自由が増えた分、頼れるところがなくなった。自由と孤独は、表裏だ。一人でも生きていけるが、社会とつながるにはコミュニティが必要だ。人生の旅路には、様々な困難がある。自分に分からないことを教えてくれる人がいる。

ボランティアは、人と出会う場であり、社会とつながる役割を担う。利害関係のない「ゆるいきずな」は、収入を得るために働く職場では得られない価値がある。

人は、三つのコミュニティを持つと自由になる。留学中は、教室、寮、カラテクラブ、教会のコミュニティを持ち、違う人と交流した。その前は、仕事、放送大学、森林ボランティア、合気道、教会だ。仕事に行きづまり、森林ボランティアから留学につながった。一つのコミュニティは危険だ。逃げ場がなくなる。仕事の場では、悪意との戦いは避けられない。時には危険に遭う。仕事以外のコミュニティが必要だ。そこには、利害に縛られることのない、本当の人柄が現れ、生きた証を残せる。社会的価値があり、善意により、「ゆるいきずな」で活動するコミュニティがあれば、コロナ後の世界で幸せに生きることができる。

コロナ後の姿は、英国留学の経験から見えてきた。片田舎に生まれ、高度経済成長期の恩恵を受けて育ち、高校教育で躓き、ＩＴの道で職を得、世の中の問題に遭遇し、キリスト者となり、放送大学から英国留学に至り、グローバル化の中で道が開けた。しかし、今、変革の矛先は、英国で始まった産業革命の対極をなすのだ。

おわりに

２０２０年7月に台湾元総統の李登輝氏がご逝去された。07年に近所にある「江東区芭蕉記念館」を訪れ、俳句「深川に 芭蕉を慕ひ来 夏の夢」を詠まれた。氏は、芭蕉のファンだったらしく、奥の細道跡を旅したらしい。

芭蕉は、私の生れ故郷の最上川や立石寺でも名句を詠んだ。そして、自然の美を感じる心を遺した。子供の時に長い旅に憧れたのも芭蕉の影響だったかも知れない。この本を書き進める間、氏が、14年に著した『李登輝より日本へ贈る言葉』を再び読み返した。

戦前に台湾で大日本帝国の教育を受けて育ち、戦後に国民党に入党して台湾を民主化した偉人だ。断固、大陸中国との併合を拒み、民主台湾を守りぬいた。氏は、日本の武士道精神を称える。新幹線の客室サービスを見て、大和魂が生きていると喜ぶ。「日本人の素晴らしさに気が付いていないのは日本人だけだ」と言う。そして、信仰の尊さを語る。キリスト者としての信仰が民主台湾を守った。「戦後の教育を改めて、伝統の価値に目覚めれば、日本は再び輝く」と言う。「風土伝統に根差した郷土愛」を、デジタル化を超えて、新たに育まねばならぬ。皆が同じになれば、旅をする意味がなくなる。

２０２１年６月

著者　渡部寿春

著者プロフィール

渡部 寿春（わたなべ としはる）

1966年山形県に生まれる。ITコンサルタント。

35才の時にシステムエンジニアとして働きながら放送大学に入学し、２年後の卒業と同時に英国アバテイ大学経営大学院（Abertay Univ. MBA）に留学。

帰国後、インド系IT企業を経てイーストタスク株式会社を設立。銀行、保険、航空、流通など業界各社のデジタル改革に携わる。

日本プロジェクトマネジメント協会理事。

著書に『ITプロジェクト日記　英文絵日記の力』（オーム社 2019年）がある。

オールド・ラング・サイン コロナ後の日本

2021年７月15日　初版第１刷発行

著　者　渡部 寿春
発行者　瓜谷 綱延
発行所　株式会社文芸社
〒160-0022　東京都新宿区新宿１－10－１
電話 03-5369-3060（代表）
03-5369-2299（販売）

印刷所　株式会社フクイン

ISBN978-4-286-22721-4